Dos grandes temas de Lorca

Gitanos
* Mujeres
* Libertad (sexual)
      └ cada uno haga lo que quiera
      └ muerte como liberadora

___

Maestras
    Cervantes
    Shakespeare
       └ Midsummer Nights Dream
         └ no podemos controlar
          el amor
            └ cualquier opción
              es posible

LA ZAPATERA PRODIGIOSA

AUSTRAL TEATRO

FEDERICO GARCÍA LORCA

LA ZAPATERA PRODIGIOSA

EDICIÓN
JOAQUÍN FORRADELLAS

AUSTRAL TEATRO

Primera edición: 22-III-1973
Trigésima octava edición (segunda en esta presentación): 14-VI-2007

© *Herederos de Federico García Lorca, 1938*

© *Espasa Calpe, S. A., Madrid, 1973, 1990, 2007*

Diseño de cubierta: Joaquín Gallego
Preimpresión: MT, S. L.

Depósito legal: M. 29.312—2007

ISBN 978—84—670—2153—0

Espasa, en su deseo de mejorar sus publicaciones, agradecerá
cualquier sugerencia que los lectores hagan al departamento
editorial por correo electrónico: sugerencias@espasa.es

Impreso en España/Printed in Spain
Impresión: Unigraf, S. L.

Editorial Espasa Calpe, S. A.
Vía de las Dos Castillas, 33. Complejo Ática - Edificio 4
28224 Pozuelo de Alarcón (Madrid)

ÍNDICE

LA ZAPATERA PRODIGIOSA

INTRODUCCIÓN

*A doña Mariquiña
y don Daniel Devoto*

EL CONFLICTO ENTRE EL POETA
Y EL DIRECTOR DE ESCENA

Una figura vestida de etiqueta se recorta sobre el fondo oscuro —gris o azul— de un telón de boca. Va a comenzar la representación de una obra de teatro que se llamará *Dragón,* LA ZAPATERA PRODIGIOSA, *El público* o, acaso, *Retablillo de don Cristóbal;* o no se llamará, porque quizá no pueda tener nombre, y será *Comedia sin título.* La primera aparición de este personaje iba a suceder, por lo que ahora sabemos [1], en la nonata *Dragón.* En ella, este hombre se adelantaría despacio, incluso ceremoniosamente, hacia un grupo de gentes que «están sentados en sus butacas y vienen a divertirse» (en *El público* está sentado ante su mesa, le anuncia un criado la llegada de esa gente y él da permiso para que entren en la escena). Dirigiéndose a ellos comien-

---

[1]   Marie Laffranque, *Federico García Lorca: Teatro inconcluso,* Granada, Universidad, 1987.

zan su parlamento («Señoras y señores») y se da a conocer: es el director de escena que va a presentar, con osadía, «una comedia del amor. Una nueva comedia del amor mágico», que habrá de ser, por tanto, «una realidad absoluta»: que «la vida [...] en todos sus aspectos, sueño y vigilia, día y noche» irrumpa en la escena.

Para conseguirlo, el director, que en acuerdo con el poeta al que alude, está cansado del teatro —de aquel teatro con personajes de la alta comedia (la marquesa, Pepe Luis, el eterno criado) y hecho para un público burgués— tendrá que convertirse en prestidigitador (le ayudará el traje y el fondo gris: recuérdese el cuadro VI de *El público),* despojarse del sombrero de copa, sacar de él tres palomas y echarlas a volar. Planeará ahora por la alocución la inseguridad, la enfermedad, la muerte y la soledad; parece que el director se arrepiente de lo hecho y quiere volver de nuevo al teatro y al orden: «Ya les he entretenido lo bastante. Quería dar tiempo para que se vistieran los cómicos y que todos los maquinistas estuvieran en sus puestos como buenos soldados». Pero al quitarse de nuevo la chistera, ahora para saludar y despedirse, ésta no necesita del hombre (¿o sí?) para que de ella salga un chorro de agua encendida —¿la de Machado?— y se produzca el prodigio: la vida está instaurada.

El personaje se reconoce también cansado del público respetable («ese terrible señor mitológico que viene aquí, según dicen, recién comido y con una terrible porra de pateo») que ni entiende ni quiere entender del amor mágico, así sea del de los posibles Romeo y Julieta, del de Titania o del de una zapatera y su zapatero. Ni, lo que viene a ser lo mismo, quiere entender de la vida, que ha convertido en cerrada sala de teatro: «Vienen ustedes al teatro como van por la vida, procurando no romper las sutilísimas paredes de la realidad de cada día. Abrazados con vuestras mujeres, con vuestras hijas, con vuestras novias, sin atreveros a sacar la mano al aire prodigioso y libre de la realidad verdadera». Realidad verdadera que para García Lorca es, evidentemente, porque nos lo ha dicho muchas veces, la de la poesía de verdad, el único instrumento capaz de romper con los muros de «la realidad de cada día» o de la «fantasía cuando ésta se hace realidad visible». Es otra realidad, pues, más profunda la que hay que buscar, encontrar y presentar al público para que éste se transforme. Una verdad que sólo el poeta puede presentar viva, tomándola de donde la han puesto («meterse en el fango hasta la cintura», dice Lorca), encarnándola en su sitio, en personajes verdaderamente populares, como la Zapatera, rompiendo las murallas de la sala y la distancia entre las bambalinas, la platea y el mundo exterior, como en la *Comedia sin título,* o intentando un teatro nuevo que se realice en el aire o bajo la arena, con el propio público como agonista, capaz de sufrir una catarsis. Por eso, cuando esta alocución, como ha mostrado la profesora Laffranque, se escinda en las escenas iniciales de LA ZAPATERA y de la *Comedia sin título,* ya no será dicha por el director de escena, sino por el propio autor.

Porque el director de escena, aunque en *Dragón* parezca que desea defender al poeta, no lo hará sino —usando la expresión de Valle-Inclán— desde el aire: «Los pobres autores ahí detrás (yo los he visto) tomaban tila y abrazaban tiernamente a las artistas, en medio del mayor desconsuelo. Si ustedes aplaudían se ponían como ebrios y salían aquí, amarillos por las baterías, a dar las gracias. Con esas fachas de zapateros remendones que tienen siempre al lado de las figuras ideales de la comedia». El director de escena, aunque a veces se arrepienta un poquito, es siempre un hombre de (o del) teatro, mientras que el poeta, si es poeta, es un

hombre de la vida y del pueblo. Y es preciso que tanto él
como el zapatero remendón, que va a ser el protagonista verdadero, junto a su mujer, de LA ZAPATERA PRODIGIOSA, re-
cobren su dignidad; que pierdan el miedo tanto al público,
«cinturón de espinas y carcajadas», como al escándalo que
se pueda producir cuando suceda lo que tiene que suceder;
que se olvide «lo que [se] ha leído en las novelas», lo que
uno mismo ha creado apoyándose en un cartelón y se recu-
pere para uno mismo y para los demás —y he aquí el didac-
tismo— el amor y la vida de verdad, la realidad verdadera.

Y ahora empieza para Lorca, que era las dos cosas, un
conflicto entre el director de escena y el poeta: conflicto
que se merece un estudio detenido, desde sus orígenes a sus
manifestaciones, para el que no hay espacio aquí y ahora.
Se hará patente la colisión en ese director que, en el *Retablo de don Cristóbal,* se dirige a la sala con un «Señoras y
señores», que habla de que el poeta *interpreta* lo recogido
de labios populares, mientras que el poeta, cuando lo dejen
salir, invocará a «Hombres y mujeres» y pedirá atención y
silencio para que oigamos, no su voz, sino «el glu-glu de
los manantiales» (¿el chorro verde que sale del sombrero
en *Dragón* y LA ZAPATERA?) y así podamos escuchar «si un
corazón late con fuerza».

Ineludiblemente este autor es acallado por el director
cuando está a punto de «descubrir el secreto» y revelarlo a
hombres y mujeres. El director obra de esta forma porque es
el carcelero de la poesía y de la vida, la materia del poeta
—véase la noche de bodas de don Cristóbal y doña Rosita—,
y por ello, para que no salgan poesía y vida a escena y des-
truyan el teatro, obliga al autor a disfrazar a un personaje: el
poeta sabe que don Cristóbal es esencialmente bueno, pero
se le prohíbe representarlo así porque eso iría contra la con-
vención del público. Porque el director, en definitiva, por

muy buena voluntad que aparente tener, está, como en *Dragón*, del lado de «las señoras con pecho de seda y nariz tonta y los caballeros con barba que van al club», es decir, de las «Señoras y señores», del «respetable público» *del* teatro.

La escisión será dramática, en el sentido real y metafórico de la palabra: el director de escena será uno de los protagonistas de *El público*. Se querrá libre, luchará con todas sus fuerzas para hacer —sacar— el teatro al aire libre, pero será incapaz de «inaugurar el verdadero teatro, el teatro bajo la arena» *(El público,* cuadro I), y, menos aún, de enfangarse para sacar al aire las azucenas y ofrecérselas al que tiene necesidad de ellas. Porque tiene miedo, miedo a «levantar el telón con la verdad original»: bien está representar *Romeo y Julieta* (aunque haya que *vestir* a Julieta para hacerlo), pero de ningún modo se atreve con los amores de Titania y el asno, con la flor venenosa shakesperiana (aunque sí lo hará el autor en la *Comedia sin título).* Porque si lo hubiera hecho —y eso era la vida y la comedia nueva del amor mágico— «se hubieran manchado de sangre las butacas desde las primeras escenas» *(ibíd.,* VI) y esa posibilidad le aterroriza (en la *Comedia* sí que habrá sangre y disparos).

El director está fuera de los personajes y no sabe siquiera si su Romeo y su Julieta se aman de verdad: así responde a la pregunta que le hace el Hombre (no el Espectador, ni el Estudiante) en el cuadro primero de *El público;* también el Zapatero y la Zapatera tardarán en descubrirse a sí mismos su amor verdadero. El tumulto —la revolución— comienza cuando, por encima del teatro y por debajo de la arena, el público descubre que Romeo y Julieta se aman de verdad, y no sólo con los trajes que los visten, sino con los esqueletos que los informan: ese supremo desnudo *(El público,* V), contrafigurado en un Cristo redentor, supremo amor y comprensión para el cristiano, que el cristiano Lorca ve morir dos minutos antes de lo que le corresponde en su papel, antes de que el traspunte le pueda traer el agua del teatro, pero cuando ya ha oído cantar al ruiseñor, pájaro símbolo del amor («cantan los ruiseñores, retumba el campo»). Por todo ello, el Director se irrita y se desentiende ante las preguntas de la madre de Gonzalo, personaje emblema, y vuelve a dar paso, en el teatro, al público; para él ya todo, hasta el frío que empieza a notarse en el aire, frío físico y moral, se convierte en un puro «elemento dramático como otro cualquiera», y, teatralmente, comienzan a caer del cielo guantes blancos vacíos, sólo vestido [2].

Será preciso que su yo escindido y prodigioso, el prestidigitador que veíamos en el prólogo de *Dragón,* haga el milagro, le descubra su incapacidad ante la vida verdadera, su miedo, y al fin agite su abanico para que esas formas muertas, sin cuerpo ni huesos, se transformen en copos de nieve que, como en *Poeta en Nueva York,* lleven «gracia pura por las falsas ojivas», y así, cuando el director de escena se rinde ante el dragón, una esperanza de vida y pureza se introduce en la escena.

La zapatera prodigiosa, una tragedia lorquiana diferente

En La zapatera —después de escrita lo ve Lorca— el poeta ya había perdido el miedo al público. Y así, desde la cortina gris, podrá saltar con rapidez, con un cierto descaro, frente a los espectadores; va, como en *Dragón,* vestido de

---

[2]   Cfr. «Suicidio» en el libro *Canciones.* Y véase Miguel García Posada, *Lorca: interpretación de «Poeta en Nueva York»,* Madrid, Akal, 1981, págs. 111-115.

frac, cubierto con sombrero de copa; pero, además, lleva en la mano una carta —un mensaje para el público— que no abrirá ni leerá. Después, en la representación, la carta se transformará en una mariposa, en un niño, en un cartel de ciego con sus aleluyas, en la obra misma, que también son señales de nuevas o portadores de ellas.

El poeta va a pronunciar unas pocas y esenciales palabras. No es, como creíamos —entonemos la necesaria palinodia—, una figura heredada del teatro antiguo renacentista, sino un personaje esencial para el sentido del texto entero. Picciotto lo había entrevisto, al ligar el prólogo a la acción entera de la comedia, estableciendo su relación con el parlamento del zapatero disfrazado[3]. Pero es más: el discurso del poeta va a funcionar también como lema de la obra entera, como contexto, inclinando la significación de lo que se va a ver; interviniendo —luego lo hará con mayor fuerza— de manera activa en el discurso dramático, contrariamente a lo que manda la preceptiva clásica: no va a ser éste el menor descubrimiento de Lorca. Sobre su voz otra voz —«¡Quiero salir!»— se impone. El autor se descubre, inclina su chistera y de ella sale un rayo de luz verde —el mismo color del vestido que llevará la Zapatera— y un chorro de agua clara. Desde este prodigio, que indica la vuelta a la escena de la poesía y del amor —leamos las palabras del poeta—, la farsa puede comenzar: se hace la luz, lo gris desaparece, y la Zapaterita, furiosa, puede venir desde la calle, no desde el teatro. Y el poeta, con un guiño irónico, malicioso, puede retirarse, no sin antes haber pedido perdón al público, pero siempre dándole frente. El poeta ha encontrado una voz que puede sustituirle.

---

[3]   R. Picciotto, *«La zapatera prodigiosa* and Lorca's Poetic Credo», *Hispania,* núm. 49 (1966), págs. 250-257.

Como un chorro de agua, como un rayo de luz verde, esta farsa violenta se coloca entre las obras que por entonces se representaban y aun entre las mismas del autor. Es innegablemente una obra lorquiana desde la cruz a la fecha, pero en algo es diferente a las demás. Todo Lorca está en ella, en cuerpo, alma y lenguaje, acaso con las ausencias únicas, pero notables, de la muerte y la pena, que son, sin embargo, temas recurrentes en el teatro del autor. La Zapatera, personaje y comedia, es alegre, optimista. Es verdad que, de tiempo en tiempo, algo nos sobrecoge, pero también es cierto que en esos momentos un golpe de timón, dado con gesto entre humorístico e irónico, nos restituye rápidamente a la ruta perdida.

LA ZAPATERA es alegre, pero eso no quiere decir que no sea seria e importante. La crítica, que se ha preocupado menos de ella que de las otras obras dramáticas del poeta, la ha considerado con frecuencia como una obra menor de Lorca. No lo fue para él, que la concibió y desarrolló lentamente, durante años, mientras escribía otras cosas que eran, en apariencia al menos, muy distintas. Desde 1923 (o 1924), en que da por terminado el primer acto, hasta su estreno en 1930, su renovación en 1933 y su presentación, con canciones, en Buenos Aires en 1934 y en Madrid en 1935, Lorca volvió una y otra vez sobre este personaje y sus problemas. Él mismo recitó siempre que pudo el importantísimo prólogo con que se abre la representación, en el que expone sus ideas sobre la concepción del hecho teatral y que será banco de pruebas, como hemos visto, para *El público* y para la *Comedia sin título*. No podemos, por tanto, dejar de preguntarnos el porqué del interés del poeta por esta corta farsa.

Allen Joseph y Juan Caballero, en el prólogo a su edición de *La casa de Bernarda Alba,* esclarecedor no sólo para la

comprensión del drama que estudian, sino para todo el teatro del autor, han mostrado la intención experimental que
tiñe toda la producción dramática de García Lorca y han
delimitado las variadas direcciones en que se originan estas
búsquedas. No nos parece que LA ZAPATERA PRODIGIOSA
sea ajena a estos propósitos de investigación, y creo que es
desde aquí, desde la obra considerada como materia de experimento —logrado, puesto que la consideró representable
y la ofreció al público—, como puede comprenderse y debe
analizarse al interés del autor por esta obra.

El experimento comienza por la actuación sobre la materia teatral —la serie literaria— que le sirve de base. Par-
tiendo del teatro de títeres de su infancia y de sus primeros
contactos con la representación, en progreso continuo
desde los Cristobicas, siguiendo un camino que no es corto
ni recto [4], se desemboca en las representaciones humanas
de LA ZAPATERA PRODIGIOSA y de *Los amores de don Perlimplín.*

En las dos obras centradas en la figura de don Cristóbal,
el argumento, los elementos que soportan la construcción
dramática e incluso el lenguaje —apenas estilizado, todo lo
más caricaturizado por exageración (y quizá contra la voluntad del poeta: recuérdese lo que arriba hemos señalado
para el *Retablillo)*— son de extracción directamente popular y hasta buscadamente vulgar [5]. En principio, lo único
que ha hecho el autor —y no es poco— ha sido seleccionar,
ordenar y reorganizar lo que viene de los títeres de la tía

---

[4]   Véase Piero Menarini, «Federico y los títeres: cronología y dos documentos», *Boletín de la Fundación García Lorca,* 5 (1989), págs. 103-128.

[5]   Daniel Devoto, «Notas sobre el elemento tradicional en la obra de
García Lorca», en Ildefonso Manuel Gil (ed.), *Federico García Lorca,*
Madrid, Taurus, 1973, págs. 115-164.

Norica y trascenderlo en algunos aspectos. Pero, aunque el origen pueda ser el mismo, en LA ZAPATERA y *Don Perlimplín* la elaboración es mucho mayor; ya no vale la estricta extracción popular, es precisa su decantación y su transformación, por más que, como todo el resto de la obra lorquiana, se hallen sus raíces en el pueblo.

Por eso, para comprender mejor lo que Lorca quiso conseguir al escribir LA ZAPATERA, es preciso partir de los Cristobicas que, según sus declaraciones, le sirvieron de simiente. Así, por contraste, podremos hacer resaltar lo que en la farsa hay de original.

TRADICIÓN Y ORIGINALIDAD EN *LA ZAPATERA*

Si la ligazón con los títeres alía entre sí al *Retablillo* y a la *Tragicomedia,* un significativo detalle los opone en la intención del poeta. En la *Tragicomedia,* el poeta *desciende* al pueblo, aunque sea para descubrir en él la libertad y la poesía. Mosquito —con nombre que remite al gracioso de *El lindo don Diego* (y no creo que el recuerdo sea gratuito, porque nada lo es en Lorca)— se dirige al público, no al pueblo (esta oposición, constante en Lorca, será fecundísima para la elaboración de su teatro y de su poesía), que llena la sala para, a golpes de tambor, comunicarle:

> Yo y mi compañía venimos del teatro de los burgueses, del teatro de los condes y los marqueses, un teatro de oro y cristales, donde los hombres van a dormirse y las señoras... a dormirse también. Yo y mi compañía estábamos encerrados. No os podéis imaginar qué pena teníamos. Pero un día vi por el agujerito de la puerta una estrella que temblaba como una fresca violeta de luz. Abrí mi ojo todo

lo que pude —me lo quería cerrar el dedo del viento— y
bajo la estrella, un ancho río sonreía surcado por lentas
barcas. Entonces yo avisé a mis amigos y huimos por esos
campos en busca de la gente sencilla, para mostrarles las
cosas, las cosillas y las cositillas del mundo; bajo la luna
verde de las montañas, bajo la luna rosa de las playas.

En el *Retablillo,* el director de escena, haciéndose en la
medida de lo posible portavoz del autor, nos dice cómo
la obra *asciende* desde el pueblo para vivificar y purificar
al público:

> Todo el guiñol popular tiene este ritmo, esta fantasía y
> esta encantadora libertad que el poeta ha conservado en el
> diálogo.
> El guiñol es la expresión de la fantasía del pueblo y da
> el clima de su gracia y su inocencia.
> Así pues, el poeta sabe que el público oirá con alegría y
> sencillez expresiones y vocablos que nacen de la tierra
> y que servirán de limpieza en una época en que maldades,
> errores y sentimientos turbios llegan hasta lo más hondo
> de los hogares.

Y el *Retablillo* se cierra, para que quede bien clara su intención didáctica —casi a lo Brecht, diríamos si no fuese
porque no es posterior a éste—, con el director asomando su
verdadero rostro por las bambalinas del teatrillo, cogiendo
en ramillete a los muñecos y «mostrándolos al público»,
porque aquello es teatro y sólo teatro (pero no *el* teatro),
teatro no aristotélico, teatro para hacer pensar y enjuiciar, y
diciendo:

> Señoras y señores: los campesinos andaluces oyen con
> frecuencia comedias de este ambiente bajo las ramas gri-
> ses de los olivos y en el aire oscuro de los establos aban-

donados. Entre los ojos de las mulas, duros como puñeta-
zos, entre el cuero bordado de los arreos cordobeses, y entre los grupos tiernos de espigas mojadas, estallan con alegría y con encantadora inocencia las palabrotas y los
vocablos que no resistimos en los ambientes de las ciudades, turbios por el alcohol y las barajas. Las malas palabras adquieren ingenuidad y frescura dichas por muñecos
que miman el encanto de esta viejísima farsa rural. Llene-
mos el teatro de espigas frescas, debajo de las cuales va-
yan palabrotas que luchen en escena con el tedio y la vul-
garidad a que la tenemos acostumbrada.

Estas palabras de Lorca, con las consecuencias que de-
ducíamos de ellas cuando las aducíamos al publicar nuestro
apógrafo de LA ZAPATERA en el año 1978, y que ahora de-
seamos aplicar, por lo dicho antes, al llamado «teatro irrepresentable», las ha hecho extensivas Lázaro Carreter, al
editar en esta misma colección *Bodas de sangre,* a casi todo
el teatro de nuestro autor.

UN EJEMPLO POÉTICO DEL ALMA HUMANA

En LA ZAPATERA PRODIGIOSA ni se asciende al pueblo ni
se desciende de él: pura y simplemente el poeta, a través de
la mocita que viene de la calle y que habla como en la calle,
se ha identificado con su ética y su estética, y así ha logrado
separarse del «público», al que comienza por quitar el cali-
ficativo de «respetable»; de ahí la sonrisa llena de ironía
con que puede retirarse al acabar de recitar su prólogo. Las
razones de esta identificación, que ya se mantendrá de aquí
en adelante, están expuestas claramente en esa alocución
preliminar.

Estas razones, unidas a algunas expresiones de este prólogo —y no se conocía aún el de *Dragón* ni la *Comedia sin
título*—, a ciertas declaraciones hechas por el poeta, a su interés y afecto por ciertos grupos desprotegidos, cuando no
perseguidos, y, sin duda, también a las dolorosas circunstancias de su asesinato, han hecho que algunos críticos [6] ha-
yan querido ver en la obra lorquiana —y LA ZAPATERA no
ha sido excepción— la existencia de una acuciante y cre-
ciente preocupación política que acaso se imponga incluso
sobre la meramente artística. No lo creemos. No creo que,
pese al procedimiento y propósito didáctico, tan cercanos a
los expuestos en el *Organon* brechtiano —o en *Le théâtre
et son double* de Artaud—, haya en el teatro de Lorca ninguna intención política o moral de primer grado, a no ser que
se considere como tal la defensa de la dignidad del ser humano. Hay, sí, una clara intención poética, con sus conven-
ciones, porque el teatro es para explicar, no para emocio-
nar, para hacer arte y poesía, no para reproducir alguna
clase de vida engañando al espectador —ya no público—;
el teatro es verdad y vida, pero no realidad, diríamos expli-
citando el prólogo de *Dragón*. Por eso caben en él los pro-
digios y lo que, desde una óptica realista *strictu sensu,* no
se consideraría verosímil.

El teatro de nuestro autor está tan lejos de una concepción clásica como de la romántica. El poeta nos ha dicho
que la misión del teatro es «explicar con ejemplos vivos [y es
evidente que la palabra ejemplo tiene aquí un sentido muy
cercano al que tenía para Cervantes] normas eternas del corazón y del sentimiento del hombre». Esto vale también
para LA ZAPATERA, en la que «el autor ha preferido poner el

---

[6]   Véase, por ejemplo, *Hommage à Federico García Lorca,* Universidad de Toulouse-Le Mirail, 1982, págs. 9-29, entre otros posibles.

ejemplo dramático en el vivo ritmo de una zapaterita *popular*». Y en una entrevista declara que «LA ZAPATERA es una farsa, más bien un ejemplo poético del alma humana [...]. El color de la obra es accesorio y no fundamental como en otra clase de teatro. Yo mismo pude poner este mito espiritual entre esquimales». Y al comentar el carácter universal de la protagonista añade: «Desde luego, la Zapatera no es una mujer en particular, sino todas las mujeres... Todos los espectadores llevan una zapatera volando por el pecho».

Quede sentado, pues, que Lorca intenta explicar, exponer y hacer verdadero teatro poético, no dar normas de conducta, cosa que el teatro de su tiempo (salvando el de Valle-Inclán tan cercano al de Lorca en tantos aspectos y tan admirado por él; también al de Arniches, que Federico consideraba lleno de poesía) no podía o no quería ofrecer. Teatro todo del que García Lorca se sentía tan totalmente ajeno que, como Falla o como Baroja, tiene que volver su atención a los títeres.

El que se hacía en su tiempo era bien un teatro burgués (Benavente), precisamente contra el cual Lorca quiere empeñarse en luchar y lo declara de un modo explícito, bien un teatro burdamente cómico (Muñoz Seca) frente al que nuestro poeta alza el humor de LA ZAPATERA o de *Don Perlimplín,* bien un teatro primariamente político, del que *Los pistoleros* o *Juan José* podrían ser ejemplos; en el mejor de los casos nos encontramos con un teatro de concepción y construcción estrictamente intelectual (el de Jacinto Grau) o falsamente popular (el de los Quintero, el de Linares Rivas, la comedia de alpargata). Existía también un teatro de investigación (el que representaba *El mirlo blanco,* o el de Azorín, o el de Gómez de la Serna...), pero éste rara vez pasaba a los teatros comerciales.

Podía haber un teatro pseudopoético (Villaespesa, Marquina, el mismo Martínez Sierra), pero no había un teatro poético de verdad, un teatro en el que la poesía surgiese de todo el discurso —«el teatro es la poesía que se levanta del libro y se hace humana»— y no de una mera versificación, de una blandura de tratamiento o de un adorno pegado a las palabras. La poesía —que Lorca encuentra en los clásicos o en los esperpentos de Valle-Inclán y en los sainetes de Arniches— se había retirado «de la escena en busca de otros ambientes donde la gente no se asuste de que un árbol [...] se convierta en una bola de humo o de que tres peces, por amor de una mano o de una palabra, se conviertan en tres millones de peces para calmar el hambre de una multitud».

No es político, creo, el teatro de García Lorca, pero —precisamente por ser poético— sí que es revolucionario, «de acción social», como lo es toda la poesía grande y verdadera. Lorca lo sabía y lo repite *trescientas veces* en sus declaraciones. «Hay que dejar el ramo de azucenas y meterse en el fango hasta la cintura para ayudar a los que buscan las azucenas». Su teatro ha de ser, por tanto, un teatro «para el público virgen, el público ingenuo que es el pueblo», para ayudar a que el pueblo —los que buscan las azucenas— haga desaparecer del mundo el hambre —de pan, de justicia, de belleza— que la humanidad padece, ya que «el día que el hambre desaparezca, va a producirse en el mundo la explosión espiritual más grande que conoció la Humanidad. Nunca jamas se podrán figurar los hombres la alegría que estallará el día de la Gran Revolución». Será la revolución fracasada en *El público* o la que vemos estallar en ese acto de la *Comedia sin título.* En eso consistirá el hablar en «socialista puro». Y nos gustaría subrayar lo de *puro,* dicho en el año 1936.

El poeta debe, por tanto, escribir su teatro desde el pueblo, con el pueblo y para el pueblo —debe estar «a la altura de las circunstancias»—, pero de ninguna manera ha de hacer literatura partidista o panfletaria, que le llevaría a falsificar al pueblo, y sobre todo conduciría a la obra de arte a niveles impropios, a ser «mala literatura de periódico», como dice Lorca condenando a los que así lo hacen. Si Antonio Machado había dicho aquello de que «escribir para el pueblo es escribir como lo hicieron Cervantes, Shakespeare o Tolstoy», es decir, desde posiciones altamente artísticas, con respeto profundo por el destinatario, Federico contesta así a una pregunta que insiste sobre la relación que ha de existir entre arte y política: «El artista debe ser única y exclusivamente eso: artista. Con dar todo lo que tenga dentro de sí como poeta, como pintor, ya hace bastante. Lo contrario es pervertir el arte». Y ese *hacer bastante,* en presencia de lo dicho, adquiere todo su sentido. Y en la *Charla sobre el teatro* definirá el teatro que es necesario hacer como «arte por encima de todo [...]. Desde el teatro más modesto al más encumbrado se debe escribir la palabra "Arte" en salas y camerinos, porque si no vamos a tener que poner la palabra "Comercio" o alguna otra que no me atrevo a decir». No es extraño que algunas de estas ideas coincidan con las de Trotski, cuando defiende a los futuristas, ni que la generación española del realismo crítico pensase que ese teatro no interesaba.

Estas ideas lorquianas explican que el teatro tenga que ser, sobre todo, ejemplar —«explicar con ejemplos vivos»— en el mismo sentido y con la misma libertad que lo son los ejemplos del Arcipreste o las *Novelas* de Cervantes, que tampoco hay que confundir aquí ejemplaridad con puritanismo, sea moral o político, porque la vida no es puritana; otra es, y más alta, la ética del teatro, de la poesía y de la vida: ésa tiene que entrar en el teatro. Y ésa será la de LA ZAPATERA PRODIGIOSA y la de las otras obras de Lorca, y ésos los problemas que con ellas querrán resolverse. En el teatro de títeres —como Valle-Inclán en *Tablado de marionetas*— y en el teatro clásico encontrará Lorca sus soluciones.

García Lorca sitúa así su literatura, e incluso su actitud vital, en una posición polar plenamente consciente y palmariamente aceptada. Una tradición que proviene directamente del pueblo, o acaso de aún más hondo, como señalan Martínez Nadal y Álvarez de Miranda —aquellos sonidos negros que revela en su admirable *Teoría y juego del duende*—, otra línea que procede del teatro clásico —Gil Vicente, Lope, Cervantes, Calderón, Shakespeare, sobre todo—, y otra, en fin, de la lírica antigua del tipo tradicional, confluyen en él sus vectores para que el poeta los elabore, purifique y actualice y puedan así devolverse al pueblo, a nosotros: son los Cristobicas, es toda su obra y es la Barraca. Y no separemos poesía y teatro, porque, como hemos aducido antes procedente de una entrevista con Felipe Morales, «el teatro es la poesía que se levanta del libro y se hace humana»; y en la misma entrevista la poesía se define como «algo que anda por las calles».

Y de la calle viene la Zapatera, pugnando voluntariosa por salir a escena. Con urgencia, porque viene para que pueda cumplirse el milagro —por eso es prodigiosa— que el poeta acaba de anunciar: ella lo sustituye para que de chorro de agua verde encendida se haga vida y la vida entre en el público y lo purifique; el autor, cohibido y lleno de ironía, puede retirarse. La Zapatera, con su traje roto —«lo roto no es deshonroso», dice el refrán— y no con «traje de larga cola y plumas inverosímiles» —que sería de personaje teatral— viene a poner en pie la poesía que Lorca quiso hacer, la ejemplar. Es la primera vez, en la cronología del teatro de Lorca, en que se aclara lo que hasta este momento era nebuloso en la conciencia del autor: por eso le adecua la confesión ético-estética que es el prólogo de *Dragón.* De aquí en adelante, aunque intente diferentes métodos, el camino será recto. No nos extrañe, pues, el interés de Federico por esta farsa, humana de la cabeza a los pies, frente a los títeres. Si en el *Retablillo* el director acallaba al poeta y cogía a los muñecos en una mano, ahora es esta Zapatera, ser vivo, y todos los que la rodean, los que hacen callar al poeta.

Ello lleva implícito un tratamiento distinto de las bases comunes, populares, en las que Lorca se apoya. En los Cristobicas la sustancia y la estructura eran imitación estilizada de fórmulas populares que el autor, aunque quisiera, no podía cambiar: don Cristóbal no puede ser bueno. En LA ZAPATERA PRODIGIOSA, como en el *Don Perlimplín,* del folclore estricto sólo quedan rescoldos, salvo usos paródicos [7] como en el romance del Zapatero disfrazado. Lo demás es un lenguaje, un aire, un aroma. Aquí lo tradicional, lo literario y lo personal se funden en una construcción surgida libremente de la imaginación del poeta en oposición dialéctica y dramática con sus personajes, tal como se opone al director de escena. Se utiliza el mismo procedimiento que tan bien estudió D. Devoto [8] para el *Poema del cante jondo* o para el *Romancero gitano,* y creo que con resultados similares. Todo es popular y nada lo es del todo: lo es por la inmersión del poeta en el pueblo y por el uso del lenguaje del pueblo como sistema estilístico, pero sin reproducirlo:

---

[7] Entiendo parodia en el sentido explicado por Daniel Devoto, «Las zapateras prodigiosas», en Andrés Soria Olmedo (ed.), *Lecciones sobre Federico García Lorca,* Granada, Comisión del Cincuentenario, 1986, págs. 67-78.

[8] «Notas sobre el elemento tradicional...», cit.

esto no es un texto realista, ni siquiera andaluz; algo parecido hizo don Juan Valera. Pero no es popular por las peculiaridades del tema o los constituyentes formales. El mismo Lorca nos dice que es universal —«en todos los sitios late y anima»— el núcleo poético que se toma como punto de partida; él la «ha vestido de zapatera, con aire de refrán o de simple romancillo».

La novedad de la obra

La experimentación básica en La ZAPATERA no se realiza, pues, ni sobre el argumento ni sobre los ambientes. Lo esencial de la farsa, lo que hace de ella una obra nueva es su tema, o mejor, su *dianoia:* «El color de la obra es accesorio y no fundamental como en otra clase de teatro [...]. La palabra y el ritmo pueden ser andaluces, pero no la sustancia». Explicar cuál sea esta dianoia y cuál el tratamiento que se le da y los motivos por los que García Lorca obra así, es algo que ahora nos correspondería hacer si no fuese porque el mismo poeta, consciente siempre de lo que escribe, ya lo ha explicado en 1933 con claridad meridiana:

> Era el verano de 1926. Yo estaba en la ciudad de Granada rodeado de negras higueras, de espigas, de pequeñas coronitas de agua; era dueño de una caja de alegría, íntimo amigo de las rosas, y quise poner el ejemplo dramático de un modo sencillo, iluminando con frescos tonos lo que podía tener fantasmas desilusionados.
>
> Las cartas inquietas que recibía de mis amigos de París en hermosa y amarga lucha con un arte abstracto me llevaron a componer, por reacción, esta fábula casi vulgar con su realidad directa, donde yo quise que fluyera un invisi-

ble hilo de poesía y donde el grito y el humor se levantan claros y sin trampas, en los primeros términos.

Yo quise expresar en mi *Zapatera,* dentro de los límites de la farsa común, sin echar mano a elementos poéticos que estaban a mi alcance, la lucha de la realidad con la fantasía (entendiendo por fantasía todo lo que es irrealizable) que existe en el fondo de toda criatura.

La zapatera lucha constantemente con ideas y objetos reales porque vive en su mundo propio, donde cada idea y cada objeto tienen un sentido misterioso que ella misma ignora. No ha vivido nunca ni tenido nunca novios más que en la otra orilla, donde no puede ni podrá nunca llegar.

Si es preciso entender la palabra «fantasía» como «todo lo que es irrealizable», y al mismo tiempo la lucha de la Zapatera —que todos tenemos en nosotros— se establece «constantemente con ideas y objetos reales» y no con lo imaginario, sino precisamente desde la fantasía, yo diría que el tema fundamental de la obra es la trágica lucha dialéctica que se opera en el interior de cada ser humano entre la realidad y el deseo; tema antiguo en la literatura: en la española lo encontramos por lo menos desde Garcilaso.

Este motivo se imbrica en esta obra, según creo, con un problema aún más grave, si cabe, que ha preocupado profundamente a la poesía y a la filosofía modernas. Es el que surge de la imposibilidad por parte del hombre de aprehender la realidad, tanto la objetiva, la que es en sí misma, como la que se plantea, reflejada, en el hondón de la conciencia individual, donde se estructura y desde donde configura al ser humano según un «sentido misterioso» que se ignora por definición, aunque a veces —acaso siempre, si se está atento como un poeta debe estarlo— se sea consciente de su existencia, y sin el cual el hombre no es un ser completo; es el misterio, en el sentido lorquiano de la palabra. Tres visos del mundo, el real por descubrir, el reflejado en el ámbito de la persona y el irrealizable, pero deseado, confluyen y conviven para crear una condición humana desgarrada. Rodeándolo, con hostilidad, los demás —casi el infierno del *Huis clos* sartriano—, «cinturón de espinas y carcajadas». Ese cinturón o corona de espinas que aparece también en *En el jardín de las toronjas de la luna* («Él estaba / con su corona / de carcajadas») o en la corona de espinas azules del Desnudo Rojo de *El público.*

Ni un tema ni otro, con toda evidencia, son de farsa: son de tragedia o de poema, si es que en Lorca los dos géneros pueden separarse. Por la presencia de estos motivos, Lorca puede decir que en LA ZAPATERA PRODIGIOSA ilumina «con frescos tonos lo que podía tener fantasmas desilusionados».

Si aceptamos los presupuestos que el poeta presenta en esta autocrítica —y no hay razón para no hacerlo—, es posible establecer una significativa serie de puntos de coincidencia y divergencia entre LA ZAPATERA y las restantes obras dramáticas lorquianas.

Así, en casi todos los casos, desde *Mariana Pineda* a *La casa de Bernarda Alba,* y también en LA ZAPATERA, el motivo básico de actuación dramática es el choque que se produce entre dos concepciones diversas de la relación amorosa, que inciden sobre un personaje o sobre la relación entre personajes. No necesitamos subrayar este motivo, que ha sido señalado por la mayoría de los críticos que se han ocupado del teatro de nuestro autor; debemos, sin embargo, justificarlo para LA ZAPATERA.

El punto de arranque del conflicto individual se sitúa aquí en la antítesis entre un matrimonio de conveniencia, realizado por presión externa y sin amor, y unos impulsos eróticos de diferente naturaleza y dirigidos en distinto sen-

tido. Éste es también, explícitamente, el motivo desencade-
nante de *Bodas de sangre*, de *Yerma*, de *Don Perlimplín;* se
adivina en *Así que pasen cinco años* y nos parece verlo aso-
mar en *La casa de Bernarda Alba.*

Ante esta insatisfacción erótica, que conlleva la personal,
la Zapatera sueña enamorados imposibles —Belisa los hace
entrar por el balcón; el Joven coloca trenzas a la Novia—,
puros deseos que contradicen la realidad posible (pero que
no sería la vida verdadera) representada por el Alcalde, por
don Mirlo o por los Mozos. También a Yerma le resulta insa-
tisfactoria la solución que se le propone con el Macho e, incluso, la sugerida por la figura de Víctor: cualquiera de ellas
quebraría su concepción de sí misma, su propia estimación,
su verdad: «¿por quién me ha tomado usted?», contesta la
Zapatera a las insinuaciones amorosas. Y, pesando sobre esta
condición, un sentimiento de soledad que acompaña a la Zapatera como a tantos personajes del teatro de Lorca.

La Zapatera, insatisfecha permanente, se finge sus novios
—«La Zapatera [...] no ha tenido novios nunca más que en la
otra orilla, donde no puede ni podrá nunca llegar», declara
Lorca, por si no quedaba claro en la obra—, de la misma manera que doña Rosita se crea su propia figura de amante, ale-
jada de la realidad, en su primo; igual que Marianita trans-
forma a don Pedro para acercarlo a su ideal, que no se
corresponde con el don Pedro verdadero. También la Zapatera transfigura al Zapatero cuando éste está lejos y, por
tanto, ya no es totalmente real, se ha hecho una añoranza.

Pero aquí la imaginación no actúa ya sobre el vacío, sino
sobre el recuerdo, en una búsqueda del tiempo perdido, re-
cubriendo la memoria y solucionando así el dilema; si,
como dice la copla que Lorca tenía que conocer, «la ausencia es aire / que apaga el fuego chico / y aviva el grande»,
la ausencia le servirá a la Zapatera para que realidad y de-

seo confluyan y se confundan en uno. Ahora podrá descubrir ante sí misma y ante el Zapatero disfrazado —también se disfraza (¿o se desnuda hasta los huesos?) don Perlimplín para que Belisa y él puedan encontrarse en el amor— la ternura por su marido, que afloraba entre la violencia, pero que se rompía, en acto involuntario e impuesto por «la realidad», en cuanto quería manifestarse, durante todo el acto primero.

Se consumará así la madurez de la Zapatera, producida por la conciencia de su soledad —Marianita aceptará la muerte— y de su condición, al recobrar la realidad de su marido; y al aceptarlo, aceptarse y ser aceptada por él como es, y por tanto hacerse realidad ambos, el uno para el otro, como deseo cumplido. Lorca, sabedor del lenguaje de los colores, igual que conocía el de las flores, emblematiza esa transformación en el cambio del vestido que lleva la Zapatera: verde y rabioso en el primer acto, rojo y encendido en el segundo; rosa mudable. En el Zapatero lo materializa en el despojarse del disfraz de titirimundi, como desnudan en *El público* a Romeo y Julieta, hasta ver qué tenían por dentro y averiguar que se amaban.

A los motivos que acabamos de señalar se une en LA ZAPATERA PRODIGIOSA otro motivo más, si se quiere secundario, pero de larga tradición folclórica, teatral y literaria. Nos referimos al matrimonio de la niña y el viejo, que ha sido considerado tradicionalmente por escritores y espectadores como algo antinatural —no digamos el amor que pueda existir entre ellos— y cómico, rozando, si no cayendo, en lo grotesco. Y no sólo en lo literario: en una gran parte de España una boda entre dos personas de edad muy desigual se refrenda con una cencerrada nocturna; y recordemos las campanas al vuelo con que se cierra LA ZAPATERA, al mismo tiempo que se cantan las coplas. *Juanita la larga,* excepción que se nos viene a las mientes y a la que creemos que se debe alguna parte del lenguaje y algunos detalles de esta farsa, no hace más que confirmar la regla, y, acaso, justificar a Valera, bastantes años mayor que su mujer. Porque incluso en los casos en que el amor es verdadero, la gente —«cinturón de espinas y carcajadas»— no lo acepta como posible y válido; hay una presión contra él en la que pueden llegar a participar los propios agentes: la Zapatera y el Zapatero no acaban de conocerse precisamente a causa de esta presión, y disocian, otra vez, trágicamente su personalidad.

Un problema semejante, aunque sin la presencia activa de los otros, se produce entre Belisa y don Perlimplín, con el trágico juego final —y también con la caída de la máscara—. Pero para Lorca esta clase de amor no es cómica, como no lo es ninguna clase de amor, ni siquiera el considerado socialmente como antinatural: recordemos el que sienten entre sí Romeo y Julieta en *El público,* tragedia que presenta más de un punto de contacto con LA ZAPATERA PRODIGIOSA [9]. Este amor lleva incluso a la rebelión de los espectadores —los demás otra vez; ahora «público» y no respetable— que no pueden aceptarlo y que terminan matando con sus manos a los protagonistas de la historia. Y recordemos también, sobre este motivo, el no escrito, pero sí descrito, drama de las hijas de Lot, el caso de un muchacho que se enamoró de su jaca [10] o la interpretación que Lorca hace de *El sueño de una noche de verano* [11].

---

[9]   Véase S. Saillard, «Lorca, du théâtre de farce au théâtre impossible», *Organon,* núm. esp., 1978, págs. 36-64.

[10]   Carlos Morla Lynch, *En España con Federico García Lorca,* Madrid, Aguilar, 1958, págs. 90 y sigs.

[11]   Rafael Martínez Nadal, *«El público»: Amor, teatro y caballos en la obra de Federico García Lorca,* Oxford, The Dolphin Book Co., 1970, pág. 100.

Otros detalles, aunque de menor entidad, enlazan LA ZA-PATERA con las otras obras trágicas o trágico-poéticas de Lorca. Notemos, por ejemplo, la ausencia de nombres propios para los personajes que actúan. El hecho ha sido señalado por Martínez Nadal (pág. 76) para *El público* y para *Así que pasen cinco años;* podemos extenderlo a la *Comedia sin título.* Pero lo mismo sucede en *Bodas de sangre,* en la que solamente Leonardo tiene nombre, que, por cierto, en la tradición popular es el nombre del diablo; en *Yerma,* con sólo cuatro personajes nominados, si no contamos a la protagonista, a la que nadie llama así en el cuerpo de la obra; o en *Doña Rosita,* en la que sólo dos personajes tienen nombre, y el de la soltera viene obligado por el romance.

Más importante es el tema, casi obsesivo en Lorca, del hijo imposible, que aparece en la *Cancioncilla del niño que no nació* de la última *Suite,* y que estallará en *Yerma* o —recordemos el romance del maniquí— en *Así que pasen cinco años.* En LA ZAPATERA PRODIGIOSA se manifiesta desde las primeras escenas, en el diálogo que la protagonista sostiene con el niño. E incluso se manifiesta desde una perspectiva que podría desatar un discurso trágico más enérgico y amargo que en aquellas obras, puesto que la conciencia de lo imposible le viene impuesta a la Zapatera desde los demás —desde el coro— y no desde su propia convicción. Se concreta, además, como consecuencia de lo antinatural de la relación erótica 'niña-viejo' que antes señalábamos como posible origen de situación personal trágica. El problema, apenas esbozado, se resuelve para que no conduzca a la catástrofe esperable en la transferencia de la maternidad imposible a la especial relación que se establece entre la Zapatera y el Niño. La transferencia es subrayada simbólicamente por el regalo del muñequito que le hace la Zapatera, y punteada por frases y actitudes de ambos a lo largo de toda la obra, hasta desembocar en el hecho de que, por una especial *fuerza de la sangre,* sea el Niño el único que intuye al Zapatero debajo de su disfraz. La tragedia posible, pues, se quiebra; pero esa escena inicial que determina la importantísima relación entre Zapatera y Niño pesará sobre el texto entero. Un niño, «pastorcillo de Belén» aquí o soñado en *Yerma,* que ahora, con la publicación de *Los sueños de mi prima Aurelia,* conocemos con nombre y apellidos.

UN ESQUEMA DE TRAGEDIA

Señalaremos, por último, que la concepción explícita de García Lorca con respecto a LA ZAPATERA PRODIGIOSA es básicamente la que corresponde a los esquemas de la tragedia. El autor contempla la obra no como el desarrollo argumental de un enredo, sino como una construcción que se articula alrededor de un personaje —o dos, si damos al Zapatero la importancia que creemos se merece— que es, más que eso, un arquetipo, un mito que reside en todos los hombres, y de ninguna manera un figurón: «Nadie debe exagerar. La farsa exige naturalidad», se dice en la didascalia del acto II. Alrededor del personaje que encarna al mito gira y actúa un coro, el pueblo de vecinas, beatas, gentes: el público.

Incluso se prescinde en esta farsa, como en *Yerma,* como en *Doña Rosita la soltera,* como en el «teatro irrepresentable», casi totalmente del argumento: ¿quién podrá contar el delgadísimo de LA ZAPATERA? Todo es tema, situaciones y lenguaje. Igual que en un poema, los elementos se repiten, como estribillos, creando estructuras que se abren y se cierran sucesivamente, para hacer terminar la obra casi como empieza, como si la acción no tuviese desarrollo, pero a la vez dejándola abierta a múltiples posibilidades futuras, evidentemente no completadas. Igual que en un poema, también secuencias que constituyen la obra flotan a veces entre lo real, lo literario y lo imaginario, y continúan abriéndose en otras que no sabemos si nos remiten a la realidad, a la fantasía o a la «otra» realidad. Podemos citar como ejemplo —y es una muñeca rusa o una *mise en abyme*— el romance que nos cuenta una historia entre real y fantástica (o literaria: el romance es un tejido de tópicos) recitada por un trujamán que es y no es el Zapatero, y que se rompe cuando en él aparecen las cuchilladas del crimen para dar paso a los navajazos ¿reales? que se propinan los dos mozos.

LA ZAPATERA PRODIGIOSA tiene, por tanto, motivos, planteamientos, esquemas básicos e incluso estructura de tragedia: de tragedia lorquiana. A estos datos se les aplica invariablemente un tratamiento, un lenguaje, unos personajes y una actuación de éstos, marcada en las didascalias, que nos remiten al género de la farsa. O, mejor, al mundo del entremés o aun de los entremeses cervantinos, que tanto admiraba Lorca, y que recrean también muchas veces planteamientos que podían ser trágicos —recuérdese, por ejemplo, *El viejo celoso*—; la diferencia con ellos reside en que aquí la Zapatera y el Zapatero «vienen de la calle», mientras que allí los personajes son propuestos como inferiores al público. Por esta distorsión, por esta compulsión que se imprime a la línea que normalmente debería ser seguida, motivo al que se puede añadir —como quiere Mario Hernández— las actitudes del personaje en su enfrentamiento con la realidad, es por lo que García Lorca especifica tras el título de su obra *Farsa violenta*. Y el mismo poeta apuntala esta relación entre la farsa y la tragedia cuando en la redacción del prólogo editada en los periódicos de Buenos Aires escribe: «Pudo el autor llevar los personajes de esta pantomima [!] detrás de las rocas y el musgo donde vagan las criaturas de tragedia, pero ha preferido poner el ejemplo dramático en el vivo ritmo de una zapaterita popular».

La relación básica entre las tragedias y las dos farsas de Lorca —LA ZAPATERA y *Don Perlimplín*— ya había sido intuida por algunos críticos. Buero Vallejo, en su lúcido discurso de ingreso en la Real Academia, decía en 1973: «Este anhelar y no obtener, agonía que ascendrarán después sus farsas y sus grandes tragedias, acompañarán año tras año al poeta». Y también Ferguson [12], refiriéndose ahora exclusivamente a *Perlimplín*, había escrito: «es una idea extravagante combinar farsa y *Liebestod*». Extravagante o no, la alianza de farsa y tragedia en un mismo texto contaba, por otra parte y olvidando antepasados remotos, con antecedentes inmediatos en el teatro español. Existe, en primer lugar, el ejemplo magistral de Valle-Inclán, tanto en los esperpentos como en el *Tablado de marionetas* o en el *Retablo de la avaricia;* también, en otro nivel si se quiere, las tragedias grotescas de Arniches, amén de algunos de sus sainetes, como, por ejemplo, *La pareja científica.*

Del entremés, de Valle-Inclán y del teatro de títeres y marionetas —en el que también el gran don Ramón veía teórica y prácticamente la salvación del teatro— se deriva la «farsa violenta». No podemos plantear ahora y aquí todas las relaciones: remitimos al lector que sea curioso a nuestra

---

[12]   F. Ferguson, *«Don Perlimplín:* el teatro-poesía de Lorca», en Ildefonso Manuel Gil, cit., pág. 17.

edición de 1978 y a los retoques que señalan Mario Hernández y Lina Rodríguez Cacho en las suyas, matizados después por el buen saber del profesor Devoto en su artículo ya citado sobre «Las zapateras prodigiosas». Pero no sólo de aquéllos: Gil Vicente, Shakespeare, Lope, dejarán huellas visibles; y, sobre todo, Calderón y Cervantes, pasando o no por la música de Falla; pero nos es difícil pensar que Lorca no lo haya leído también directamente: «cielo y tierra del teatro» en suma —y la definición es del propio Federico— se darán la mano en las figuras y tramas de LA ZAPATERA. La indicación se nos da desde el mismo prólogo. En una sola frase —«medio mundo de sueño para entrar en los mercados como tú en tu casa, en la escena»— se barajan tres títulos calderonianos, a la vez que el personaje que grita «¡quiero salir!» nos introduce en un tono buscadamente cervantino, que es subrayado por la actitud del autor desde este momento hasta hacer mutis —como cuando Cervantes da paso a Cide Hamete— y que se va acentuando más y más por la naturaleza de los personajes que van a surgir y por el lenguaje en que está escrita la farsa entera, hasta llegar a la «leve caricatura cervantina» de que García Lorca nos habla y que él quería. Esa caricatura abarca, a nuestro parecer, a toda la obra y no sólo al personaje femenino principal.

CONSTRUCCIÓN FORMAL DE LA FARSA

Si el parentesco y las distancias de LA ZAPATERA PRODIGIOSA con otras formas y obras teatrales no son difícilmente discernibles, es trabajo arduo, por el contrario, determinar su estructura interna, el análisis del equilibrio entre los bloques en que se distribuye la materia poética, las isotropías que reúnen todos y cada uno de los motivos actuantes.

Parece claro que LA ZAPATERA no está concebida sólo ni primordialmente como obra literaria pura, para ser leída o impresa en forma de libro; quizá por ello Lorca no habló nunca de editarla. El texto, movedizo, está concebido, fundamentalmente, para ser puesto en un escenario, ajustable a las circunstancias e, incluso, a las características de los actores (ahora ya conocemos el texto que modificó para Lola Membrives); es decir, como apoyatura imprescindible para la labor de un director de escena, que, en este caso, habría de ser en primer lugar el propio Federico. Sólo las escenificaciones hechas por él podrían darnos idea del ritmo de desarrollo, esencial para cualquier intento de análisis formal. Tendrían que editarse aquí los cuadernos de dirección que en cada caso preparó el poeta. Habría que añadir la música con que acompañó las representaciones: recordemos, por ejemplo, con qué cuidado se nos dice que eligió las de *Don Perlimplín* y conjeturemos el que pondría en este caso.

Debemos evocar, en esta línea, la preocupación por el movimiento y los gestos de los actores, por el tiempo exacto de cada intervención, o por los colores que visten —deshechos en la versión de Buenos Aires con la extraña intervención supersticiosa de una Vecina Azul—, que se combinan plástica y rítmicamente en la escena. Conocemos perfectamente las inquietudes de nuestro poeta por el aspecto teatral de la dirección: aquellas que le condujeron a las fecundas experiencias de la Barraca, a dirigir el montaje de sus obras cuando las representaba Margarita Xirgu, a acompañar a la Membrives en su gira argentina o a prestar toda su ayuda al Club Anfistora. Su labor fue reconocida por los críticos teatrales de su momento, que, como Silvio d'Amico (1935), lo colocaron como esperanza a la par de los grandes directores europeos del primer tercio de nuestro siglo: Gordon Craig, Stanislavski, Reinhardt, Copeau y Piscator; Lorca será «el muchacho».

A pesar de este desconocimiento parcial de la andadura escénica, algo nos atreveríamos a indicar sin embargo acerca de la construcción formal de la farsa. Está toda ella concebida como una estructura cerrada, que al final, justo cuando se concluye el círculo, paradójicamente se abre para el espectador igual que para los protagonistas. LA ZAPATERA PRODIGIOSA acaba exactamente como empieza, con el mismo grito, la misma actitud y casi las mismas palabras por parte de la casadita. Pero entre este principio y el final algo se ha modificado: ahora, al terminar la obra, el Zapatero ha recuperado su puesto y ha descubierto el amor de su mujer, y ésta ya no está sola; ahora los dos juntos ya pueden enfrentar y romper el cinturón de espinas y carcajadas.

Esto nos indica que la mutación se ha producido en la naturaleza de la relación entre los protagonistas. Eran, al principio, un matrimonio sin amor, forjado por alguien —la hermana y el compadre Rafael— ajeno a ellos. La relación estaba obligada por unas circunstancias sociales que se alzaban entre ellos: diferencias económicas —el Zapatero es rico, frente a la pobreza de la Zapatera— y diferencias de grupo social, ya que mientras que el Zapatero es burgués, la Zapatera pertenece a «una familia de caballistas», y por tanto de no muy buena fama. En esa relación vieron uno y otro la solución a sus problemas, pero no la realización de un amor, por tanto no fueron libres al elegirla: en lugar de liberarlos, los encerraba. Ahora, al final, la relación ha pasado a ser voluntariamente querida y libremente aceptada a través del conocimiento propio y mutuo de los protagonistas, que conlleva la conciencia individual y compartida de su cariño, recóndito e inconfesado hasta entonces, patente y posible (y más que posible, necesario) desde este momento, al despojarse ambos de su disfraz.

Al igual que en los escritores griegos, la anagnórisis ha de suponer un cambio profundo en la peripecia. De aquí la apertura violenta de la estructura y la destrucción del muro de realidad que suponen los demás, únicamente posible —la idea aflora de continuo en Lorca— desde el amor, que resulta ser aquí actor de un panerotismo [13] que puede conducir (véase *El público,* II, y algunos poemas de *Poeta en Nueva York)* a una verdadera revolución ontológica y, por ende, social. Al descubrirse —verbo con doble valor, reflexivo y recíproco— «comienza la vida nueva». Por ser ese final principio, por ocurrir ahora las bodas verdaderas, vitales y no sociales, García Lorca sella el reencuentro con un cantar de coplas y repicar de campanas, eco de la bárbara cencerrada de los demás. La actitud de los protagonistas, externamente, podrá parecer que no ha cambiado, pero nosotros conocemos y ellos mismos conocen, porque se lo han dicho, la ternura que se esconde bajo esos disfraces adoptados para defenderse.

Esta concepción circular y a la vez abierta de la obra comprende un cúmulo de remisiones menores, de trama distribuida en oleadas, que determinan la forma de la farsa y su sentido. Así, el Niño que abre su actuación en la obra recibiendo el regalo de un muñequito, cierra el primer acto con la noticia de la marcha del marido; inicia el segundo recibiendo la merienda de manos de la Zapatera y anuncia, al final, la actitud hostil de pueblo, la que va a sellar el reencuentro de los casados. Al principio del segundo acto, oímos por primera vez, en la voz del Niño, las coplas; esta voz irá siendo sustituida progresivamente por

---

[13]   Véase André Belamich, *Lorca,* París, Gallimard, 1983.

la de los vecinos y, al fin, por la de las campanas. Los vecinos, que rodean a la Zapatera con ritmo de cantinela y movimiento de baile al terminar el primer acto, la rodearán con coplas y música al acabarse la obra. El lector descubrirá, con seguridad, otras remisiones distintas de las que le hacemos gracia.

Presidiéndolo todo, centro y clímax, el romance recitado por el Zapatero, que recoge la historia o fábula sucedida hasta entonces, confirma el tono paródico de la obra, porque va a abrir la posibilidad de solución esperanzadora del final e incita —ahora con la publicación del manuscrito primero y de *Dragón* lo sabemos— la construcción del prólogo y su introducción en la trama, con un autor que es el mismo poeta y no, como en el caso de Pirandello o Grau, un personaje-autor (es decir, un narrador dramático).

El romance o los romances: observemos cómo, después de contar con muy pocas deformaciones, la historia *real* del Zapatero y la Zapatera —en una especial forma de *mise en abyme*—, investidos de talabarteros, sólo suave y muy maliciosamente distanciados de los personajes verdaderos, el relato se interrumpe al llorar la protagonista; el trujamán modifica entonces su actitud y, por tanto, también su discurso. Al reanudarse la narración se comienza un romance nuevo, ligado al anterior por el hilo del relato y por la rima, pero que se aleja desaforadamente de la «historia real y verdadera» de la relación entre los casados, con la aparición de un jinete que se asemeja bastante al zapatero soñado por la Zapatera en el cuento que le dice al Niño. Incluso, en un juego magistral, se recomienza —o se continúa— con unos versos que son, formalmente, característicos de principio de romance tradicional: «Un lunes por la mañana / a eso de las once y media». Y la parodia, en hierbas en el primer trozo, florece en un centón de versos de procedencia más o menos folclóricas, más o menos literaria, al igual que en la obra entera, donde se ensamblan palabras, expresiones y situaciones tradicionales o de relato popular: lo que podía ser trágico se colma, más que de comicidad, de buen humor, apoyado en una cierta sensualidad poética; un ten con ten de regodeo que a veces pica en lo malicioso.

Así, por ejemplo, cuando se nos enumera cada una de las cuchilladas que el amigo va a propinar al marido (nuestra memoria nos lleva a Leonardo y al Novio en *Bodas de sangre*) en una disposición que, a nosotros también, nos «parece estupenda», la navaja va a ser barbera, que corta más que el frío, pero que, por definición, no tiene punta. Y en ese momento, en esas cuchilladas, cuando la *mise en abyme* se ha desdibujado, cuando la distancia con la realidad es mayor, el romance se precipita a la confusión con ella: el autor interrumpe la divertidísima y teatral relación de las cuchilladas futuras e introduce el presente teatral de la riña a navajazos [14]. Nuestro horizonte de expectativas se quiebra, el posible efecto distanciador —teatro dentro del teatro— se hace añicos, al refluir los hechos que vienen de la calle sobre el público que hace de coro (la Zapatera es el corifeo) y está en el escenario, y desde él, como en la catarsis de la tragedia griega, en el público, respetable o no, de la sala, que está siguiendo divertido el romance, y se estremece ante el alarido que se profiere fuera de la escena, introduciéndose en lo representado: la ilusión escénica se rompe para *todos* los espectadores con la pelea de los mozos. Zapatero y Zapatera hacen de eje de la relación, se quedan allí, solos, entre un hecho literario y un hecho vital que se unen por encima de ellos y que recomponen su pro-

---

[14]   Queremos recordar aquí el amebeo de Erasto y Elicio en el libro I de *La Galatea* con lo que le sigue.

pia tragedia. Parece que se va a reproducir, y definitivamente, la separación de los dos; la preocupación de la Zapatera por el Niño (el del muñequito y la mariposa, el de la merendilla y la maternidad frustrada) abrirá de nuevo la comunicación y el camino para la esperanza y para el final, que es —no lo olvidemos— principio de peripecia.

La trama no progresiva forma parte de la íntima concepción poética, no sólo dramática, de la farsa. La acción, evidentemente mínima y muy delgada, aparece únicamente y por completo en el brevísimo acto primero. En el segundo, salvando dos momentos, el de la vuelta del marido —y es tema de romance—, que remite al de su marcha y a la llegada de la mariposa, y el instante final, que remite al inicial, no pasa nada; la peripecia no progresa, todo es estático. Sólo se nos reitera, desde diferentes voces y desde perspectiva distintas que la modifican, la misma historia real o posible que habíamos visto suceder o imaginar en el acto primero. Así será, por partida doble, en el romance que acabamos de comentar, en el diálogo —y desde los dos narradores— entre la Zapatera y el Zapatero disfrazado, en las intervenciones del Alcalde, en la interpelación que las Vecinas Roja y Amarilla le hacen al Zapatero, en las coplas. No, no es dinámica la construcción de LA ZAPATERA PRODIGIOSA. Más que con una obra dramática parece como si nos hubiéramos topado con un poema: poema granadino de alcance universal, como lo será también, y mejor, *Doña Rosita la soltera*.

JOAQUÍN FORRADELLAS

BIBLIOGRAFÍA

AGUIRRE, José María, «El llanto y la risa de *La zapatera prodigiosa*», *Bulletin of Hispanic Studies,* 58 (1981), págs. 241-250.

ANDERSON, Andrew A., «Representaciones provinciales de dramas *[Bodas de sangre* y *La zapatera prodigiosa]* de García Lorca en vida del autor». T. a. de *Segismundo,* 1985.

—, «Some Shakespearian Reminiscences in García Lorca's Drama», *Comparative Literature Studies,* 22 (1985), págs. 187-210.

—, «The Strategy of García Lorca's Dramatic Composition 1930-1936», *Romance Quarterly,* 33 (1986), págs. 211-229.

BELAMICH, André, *Lorca,* París, Gallimard, 1983.

BUERO VALLEJO, Antonio, *Tres maestros ante el público,* Madrid, Alianza, 1973.

BUSETTE, Cedric, «Obra dramática de G. L. Estudio de su configuración», Nueva York, Las Américas Pub., 1971.

CANAVAGGIO, Jean, «García Lorca ante el entremés cervantino: el telar de *La zapatera prodigiosa*», en *El teatro menor en España...,* Madrid, CSIC, 1983.

COLECCHIA, Francesca, «The "Prólogo" in the Theatre of Federico García Lorca: Towards the Articulation of a Philosophy of Theatre», *Hispania,* 69 (1986), págs. 791-796.

D'AMICO, Silvio, «Teatro sulla sabbia», *Gazzetta del Popolo,* Turín, 17 de septiembre de 1935.

DEVOTO, Daniel, *«Doña Rosita la soltera.* Estructura y fuentes», *Bulletin Hispanique,* 69 (1967), págs. 407-436.

—, «Las zapateras prodigiosas», en Soria Olmedo, págs. 67-78.

—, «Lecturas de García Lorca», *Revue de Littérature Comparée,* 33 (1959), págs. 518-528.

—, «Notas sobre el elemento tradicional en la obra de García Lorca», en Gil, págs. 115-164.

DOMÉNECH, Ricardo (ed.), *La casa de Bernarda Alba y el teatro de García Lorca,* Madrid, Cátedra, 1985.

EDWARDS, Gwynne, *El teatro de Federico García Lorca,* Madrid, Gredos, 1983.

FERGUSON, Francis, *«Don Perlimplín:* el teatro-poesía de Lorca», en Gil, págs. 175-185.

FERNÁNDEZ CIFUENTES, Luis, *García Lorca en el teatro: La norma y la diferencia,* Zaragoza, Prensas Univ., 1986.

GARCÍA LORCA, Francisco: *Federico y su mundo,* Madrid, Alianza, 1980.

GARCÍA-POSADA, Miguel, Prólogo y notas a su edición de *Obras,* Madrid, Akal, 1980.

—, *Lorca: Interpretación de «Poeta en Nueva York»,* Madrid, Akal, 1981.

GIL, Ildefonso Manuel (ed.), *Federico García Lorca,* Madrid, Taurus, 1973.

GUERRERO ZAMORA, Juan, «El teatro neopopular de García Lorca», en *Historia del teatro contemporáneo,* III, Barcelona, Flors, 1962, págs. 35-96.

GUARDIA, Alfredo de la, *García Lorca, persona y creación,* Buenos Aires, Schapire, 1961.

GULLÓN, Ricardo, «Perspectiva y punto de vista en el teatro de García Lorca», en Doménech, págs. 13-30.

HERNÁNDEZ, Mario, *Federico García Lorca: Dibujos,* Madrid, Ministerio de Cultura, 1986.

—, «Una criatura quijotesca: *La zapatera prodigiosa* (Cervantes, Falla, García Lorca)», *Teatro en España,* núm. 10 (1982), págs. 46-53.

HIGGINBOTHAM, Virginia, *The Comic Spirit of Federico García Lorca,* Austin, University of Texas Press, 1975.

—, *Hommage à Federico García Lorca,* Université de Toulouse-La Mirail, 1982.

JOSEPH, Allen, y CABALLERO, Juan, Pról. a Federico García Lorca: *La casa de Bernarda Alba,* Madrid, Cátedra, 1976.

LAFFRANQUE, Marie, *Federico García Lorca,* París, Seghers, 1969.

—, «Federico García Lorca: teatro abierto, teatro inconcluso», en Doménech, págs. 211-230.

—, «La Savetière et l'Enfant», *Théâtre à Toulouse,* núm. 5 (1986), pág. 21.

—, *Les idées esthétiques de Federico García Lorca,* París, Centre de Recherches Hispaniques, 1967.

—, «Lorca, théâtre impossible», *Organon,* núm. esp. (1978), págs. 20-35.

—, *Federico García Lorca: teatro inconcluso,* Granada, Universidad, 1987.

LEWIS, Julie Howe, «Realidad, símbolo y ejemplo: *La zapatera prodigiosa»*, *Asomante,* 26 (1972), págs. 80-84.

MARTÍNEZ NADAL, Rafael, *«El público»: Amor, teatro y caballos en la obra de Federico García Lorca,* Oxford, The Dolphin Book Co., 1970.

MARTÍNEZ NADAL, Rafael, y LAFFRANQUE, Marie, Edición de *El público* y *Comedia sin título,* Barcelona, Seix Barral, 1978.

MAZZARA, Richard, «Dramatic Variations on Themes of *El sombrero de tres picos, La zapatera prodigiosa* and *Una viuda difícil», Hispania,* 41 (1958), págs. 186-189.

MENARINI, Piero, «Federico y los títeres: cronología y dos documentos», *Boletín de la Fundación Federico García Lorca,* núm. 5 (1989), págs. 103-128.

MORLA LYNCH, Carlos, *En España con Federico García Lorca,* Madrid, Aguilar, 1958.

MORRIS, C. Brian, «Divertissement as Distraction in Lorca's *La zapatera prodigiosa», Hispania,* 69 (1986), págs. 797-803.

OLIVER, William I, «Lorca: the Puppets and the Artist», *Tulane Drama Review,* 7 (1962), págs. 76-96.

PICCIOTTO, Robert, *«La zapatera prodigiosa* and Lorca's Poetic Credo», *Hispania,* 49 (1966), págs. 250-257.

RINCÓN, Carlos, *«La zapatera prodigiosa.* Ensayo de interpretación», *Ibero-Romania,* 4 (1970), págs. 290-313.

RÍO, Ángel del, *Vida y obras de Federico García Lorca,* Zaragoza, Heraldo de Aragón, 1952.

SÁENZ DE LA CALZADA, Luciano, *La Barraca. Teatro Universitario,* Madrid, Revista de Occidente, 1976.

SAILLARD, Simone, «Lorca, du théâtre de farce au théâtre impossible», *Organon,* núm. esp. (1978), págs. 36-64.

SÁNCHEZ, Roberto G., *García Lorca y su teatro,* Madrid, Jura, 1950.

SORIA OLMEDO, André (ed.), *Lecciones sobre Federico García Lorca,* Granada, Comisión del cincuentenario, 1986.

UCELAY, Margarita, «Federico García Lorca y el Club Teatral Anfistora: el dramaturgo como director de escena», en Soria Olmedo, págs. 51-64.

VIAN, Cesco, *Federico García Lorca. Poeta e drammaturgo,* Milán, La Goliardica, s. f.

ZIMMERMANN, Marie-Claire, «Le rire et la poésie au théâtre: sur la genèse d'une convergence et d'un décaloge fonctionnels dans les quatre textes scéniques: *La cabeza del dragón, La hija del capitán, El amor de don Perlimplín* et *La zapatera prodigiosa*», *Hispanística*, núm. 20 (1988), págs. 91-104.

ESTA EDICIÓN

No hay texto *ne varietur* de LA ZAPATERA PRODIGIOSA; el mismo García Lorca declaraba a un periodista: «Tres veces he montado la obra, y las tres de manera diferente». Hoy tenemos la suerte (y el problema) de disponer de ejemplares correspondientes, acaso, a los tres montajes, aparte de un manuscrito autógrafo anterior a ellos, y de un esbozo narrativo pensado ya para darle forma dramática —acaba con un precioso «Y telón»— el cual presenta el cariz de un cuento de pueblo narrado con cierta mala gana y recogido al dictado, intentando conservar la forma que le dio el relator. Contiene sin duda este último esbozo la nuez de la obra, y por eso lo damos aquí en Apéndice; fue editado por primera vez por Mario Hernández [1], y en facsímil por Lina Rodríguez Cacho [2]. Fuera de lo estrictamente literario, pero dentro de lo teatral, disponemos también, para ayudarnos a comprender la idea de García Lorca, de la reproducción fotográfica de dos bocetos decorados, con toda probabilidad

---

[1]   Edición de *La zapatera prodigiosa,* Madrid, Alianza Editorial, 1982, págs. 137 y sigs.

[2]   Edición facsímil de *La zapatera prodigiosa,* Valencia, Pre-textos, 1986.

pensados para esta obra: pueden verse en la edición de los *Dibujos* preparada por Mario Hernández[3] (núms. 276 y 293) y de diez figurines *(ibíd., 282 a 292)* para los personajes, diseñados por el propio poeta.

Del manuscrito autógrafo proceden todas las versiones posteriores, las que Lorca dejó que subiesen a las tablas. Entre aquél y éstas, muchísimos cambios y arrepentimientos. Con algún disculpable error de lectura y, por desgracia, con bastantes líneas y aún páginas extremadamente borrosas, este autógrafo ha sido ofrecido en facsímil y doble transcripción por Lina Rodríguez Cacho (ed. cit.), que lo fecha en 1926.

Un apógrafo hoy perdido, que corresponde a la representación que estrenó Margarita Xirgu en la Navidad de 1930, fue impreso —y es la verdadera edición príncipe— por Guillermo de Torre en el tomo III de las *Obras Completas* (1938) del catálogo de la editorial Losada de Buenos Aires. Esta edición fue reproducida primorosamente y con notas utilísimas por Edith F. Helman (1952) para W. W. Norton, de Nueva York, como precioso ejemplo, además de un buen teatro, de uso del español coloquial. Losada, en ediciones posteriores tanto de la colección de *Obras* como de LA ZAPATERA suelta, ha ido introduciendo variaciones, sin que se explique nunca la causa. Tenemos en cuenta, pues, para nuestros fines la primera edición.

El año 1978, yo mismo edité para Almar, en Salamanca, otra copia apógrafa a máquina, que está entre mis libros. La reprodujo Miguel García-Posada en su edición de *Obras Completas* (Akal), aún incompleta hoy, con pena de todos los que gustamos de Lorca y del buen hacer del lorquista.

---

[3]   Madrid, Ministerio de Cultura, 1986.

Corresponde el ejemplar a una fecha posterior a 1933, quizá —aunque algunos detalles, y sobre todo el reparto, dificultan esa posibilidad— a las representaciones del Club Anfistora, como aventura Mario Hernández. Es el texto que damos ahora de nuevo, normalizando la puntuación y corrigiendo, a la vista de las versiones editadas con posterioridad, algunos pequeños errores cometidos por el mecanógrafo y disculpables por la difícil grafía de Lorca. Nos apoyamos para preferirlo a los demás no sólo en nuestro gusto, sino en los razonamientos de Mario Hernández y Lina Rodríguez, que lo demuestran posterior al de Margarita Xirgu, y en los de Daniel Devoto y Francisco García Lorca; estos últimos juzgan la calidad literaria y teatral de la versión *corta* superior a la del tercer apógrafo, el publicado por Mario Hernández en Alianza Editorial (Madrid, 1982), el cual parece deber mucho a los caprichos interpretativos de doña Lola Membrives, actriz que no tuvo inconveniente —ni Lorca en consentírselo: sabemos por sus cartas que necesitaba el éxito material— en modificar, para su lucimiento, el magnífico y equilibrado diálogo final de *Bodas de sangre* para convertirlo en un monólogo. El propio editor de este apógrafo parece aceptarlo así cuando reforma algunas frases y cuando reproduce el Fin de Fiesta antiguo, sin sustituir *Los cuatro muleros* por el zarzuelero *Retrato de Isabela* de Vives, como se hizo en las últimas representaciones madrileñas.

Para que el lector pueda reconstruir sin demasiado esfuerzo las otras versiones, damos en apéndice, si no todas las variantes, sí los perícopes de cierta extensión que, en la edición de Losada y en la de Alianza, añaden algo a nuestro texto. Y obsérvese la calidad de las líricas agregadas en esta última, tan alejadas de las cotas a que nos tiene acostumbrados nuestro poeta.

Añadimos también, tras el texto de la obra, el «Fin de Fiesta» que Lorca preparó para las representaciones de Buenos Aires. Seguimos para ello, en parte, el texto reconstruido por Mario Hernández. Es posible, como señala García-Posada, que fuese compuesto por petición de Lola Membrives o de su marido para que la función alcanzase límites aceptables de tiempo, ya que la obra podía resultar corta. Pero dudo que la organización y elección, que nos aparece tan acertada, fuese casual: todos sabemos el cuidado que puso Lorca para elegir melodías apropiadas que enmarcasen el estreno de *Don Perlimplín*. Es más pensable que la indicación de la actriz le descubriese la posibilidad de complementar el texto —como había pasado, por su propia iniciativa, con el prólogo, que hoy sabemos posterior a la redacción de LA ZAPATERA— de tal forma que, por una parte, se acercase a los modos de representación del teatro del Siglo de Oro, y por otra, permitiese entender desde otra perspectiva la intención de la obra. Como diría don Juan Manuel, dados los logros, «Prólogo» y «Fin de Fiesta» serían las añadiduras del rey Alhaquem. Como ejemplo de coherencia semántica, escuchemos las campanas de boda —así las oigo yo— que suenan al fin de la obra y las campanas de amor futuro que se oyen en Roma —«¡Ni los templarios de Roma!», dice la Zapatera— cuando los pelegrinitos se están casando.

El «Fin de Fiesta» está constituido por la escenificación de tres canciones tradicionales: *Los pelegrinitos, Canción de otoño en Castilla* y *Los cuatro muleros*. En su sucesión cuentan una historia de amor: el difícil principio de los peregrinos que han de ir hasta Roma para dar validez al amor que se tienen; los vaivenes e inseguridades de los amantes, movidos por «los pensamientos», hasta dudar de su amor, «hijo del sueño», y hasta casi arrepentirse de quererse; el orgulloso reconocimiento del amor conyugal a través del marido entrevisto a lo lejos («el de la mula torda / es mi marido») y de la calidad del cariño de la esposa («¿A qué buscas la lumbre / la calle arriba?») que llevan a la plenitud y a la tranquilidad del alma. Casi una repetición de la historia de los Zapateros —otra *mise en abyme*—, pero contada ahora en la música y la letra de unas anónimas canciones tradicionales, contrapunto de las coplas de *los otros* en el texto, que consiguen, por su misma esencia, trascender el color local y temporal que pudiera rezumar de la farsa sin colocarla, sin embargo, en ninguna utopía. Si las coplas tradicionales, precisamente por serlo, nos pertenecen a todos, todos podemos ser a la vez sus oyentes, cantores y protagonistas. Ellas nos servirán, por tanto, en un proceso bidireccional de distanciamiento de lo narrado y de inclusión en los motivos, para poder descubrir en nosotros a «la Zapaterita que existe en el fondo de toda criatura», y así asumir el mito al releer, desde otra perspectiva más amplia, menos anecdótica, la obra entera, transformada ahora en poema lírico y colectivo.

Las canciones presentan además, en un estrato de lectura más profundo, un ciclo vital y natural completo. La primera, *Los pelegrinitos,* se canta por Pascual Florida —«romance pascual» lo llama García Lorca en su conferencia «Lo que canta una ciudad de Noviembre a Noviembre»—; la segunda es una canción campesina de otoño, época de las cosechas y de fiestas en casi todos los pueblos de España; *Los muleros* es canción de Navidad, pero pagana, en el Albaicín.

El Prólogo, del que nuestro apógrafo carece, ha llegado también a nosotros en tres versiones. Nosotros, por razón de coherencia textual y porque parece menos explícito y más cargado de valores connotativos, preferimos dar la versión de Guillermo de Torre y Margarita Xirgu precediendo a nuestro texto. Sin embargo, por su esencial importancia, ofrecemos en el Apéndice la versión de los periódicos de Buenos Aires en 1933, siguiendo la lectura de Mario Hernández, y el *Dragón,* publicado por Marie Laffranque, origen de ambos y, como dijimos más arriba, también de *El público* y de la *Comedia sin título.*

J. F.

PUEBLO

mágico

LA ZAPATERA PRODIGIOSA

FARSA VIOLENTA EN DOS ACTOS

lucha de opuestos

PERSONAJES

ZAPATERA
VECINA ROJA
VECINA MORADA
VECINA NEGRA
VECINA VERDE
VECINA AMARILLA
BEATA PRIMERA
BEATA SEGUNDA
SACRISTANA
EL AUTOR
ZAPATERO
EL NIÑO
ALCALDE
DON MIRLO
MOZO DE LA FAJA
MOZO DEL SOMBRERO
HIJAS DE LA VECINA ROJA
VECINAS, BEATAS, CURAS Y PUEBLO

distanciamiento

PRÓLOGO

Cortina gris. Aparece el autor. Sale rápidamente.
Lleva una carta en la mano.

EL AUTOR

Respetable público... *(Pausa.)* No, respetable público no, público solamente, y no es que el autor no considere al público respetable, todo lo contrario, sino que detrás de esta palabra hay como un delicado temblor de miedo y una especie de súplica para que el auditorio sea generoso con la mímica de los actores y el artificio del ingenio. El poeta no pide benevolencia, sino atención, una vez que ha saltado hace mucho tiempo la barra espinosa de miedo que los autores tienen a la sala. Por este miedo absurdo y por ser el teatro en muchas ocasiones una finanza, la poesía se retira de la escena en busca de otros ambientes donde la gente no se asuste de que un árbol, por ejemplo, se convierta en una bola de humo o de que tres peces, por amor de una mano y una palabra, se conviertan en tres millones de peces para calmar el hambre de una multitud. El autor ha preferido poner el ejemplo dramático en el vivo ritmo de una zapaterita

es un negocio o

ya no es arte, es un negocio

ya no es arte,

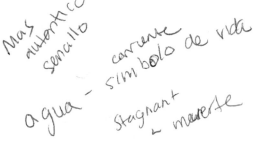

popular. En todos los sitios late y anima la criatura poética que el autor ha vestido de zapatera con aire de refrán o simple romancillo y no se extrañe el público si aparece violenta o toma actitudes agrias porque ella lucha siempre, lucha con la realidad que la cerca y lucha con la fantasía cuando ésta se hace realidad visible. *(Se oyen voces de la* ZAPATERA. ¡Quiero salir!) ¡Ya voy! No tengas tanta impaciencia en salir; no es un traje de larga cola y plumas inverosímiles el que sacas, sino un traje roto, ¿lo oyes?, un traje de zapatera. *(Voz de la* ZAPATERA *dentro:* ¡Quiero salir!) ¡Silencio! *(Se descorre la cortina y aparece el decorado con tenue luz.)* También amanece así todos los días sobre las ciudades, y el público olvida su medio mundo de sueño para entrar en los mercados como tú en tu casa, en la escena, zapaterilla prodigiosa. *(Va creciendo la luz.)* A empezar, tú llegas de la calle. *(Se oyen las voces que pelean. Al público:)* Buenas noches. *(Se quita el sombrero de copa y éste se ilumina por dentro con una luz verde, el autor lo inclina y sale de él un chorro de agua. El autor mira un poco cohibido al público y se retira de espaldas lleno de ironía.)* Ustedes perdonen. *(Sale.)*

universal
└ falta de nombres

ACTO PRIMERO

53 años

Casa del ZAPATERO. *Banquillo y herramientas. Habitación completamente blanca. Gran ventana y puerta. El foro es una calle también blanca con algunas puertecitas y ventanas en gris. A derecha e izquierda, puertas. Toda la escena tendrá un aire de optimismo y alegría exaltada en los más pequeños detalles. Una suave luz naranja de media tarde invade la escena.*

ESCENA 1.ª

-18 años

La ZAPATERA

(Al levantarse el telón la ZAPATERA *viene de la calle toda furiosa y se detiene en la puerta. Viste un traje verde rabioso y lleva el pelo tirante, adornado con dos grandes rosas. Tiene un aire agreste y dulce al mismo tiempo.)*

insatisfecha

ZAPATERA

Cállate, larga de lengua. Penacho de catalineta, que si yo he hecho... que si yo lo he hecho ha sido por mi propio gusto... Si no te metes en tu casa, te hubiera arrastrado... viborilla empolvada. Y esto lo digo para que me oigan todas las que están detrás de las ventanas... que más vale estar casada con un viejo, que con un tuerto como tú estás. Y no quiero más conversación, contigo ni con nadie, ni con nadie.

(Entra dando un fuerte portazo.)

Ya sabía yo que con esa clase de gente no se podía hablar ni un segundo... Pero la culpa la tengo yo, yo y yo... que debí estarme en mi casa con... casi no quiero creerlo, con mi marido. Quién me hubiera dicho a mí, rubia con los ojos negros, que hay que ver el mérito que esto tiene, con este talle y estos colores tan hermosísimos, que me iba a ver casada con... ¡me tiraría del pelo! *(Llora.)*

(Llaman a la puerta.)

¿Quién es?

(No responden y llaman otra vez.)

¿Quién es? *(Enfurecida.)*

ESCENA 2.ª

La ZAPATERA *y el* NIÑO

NIÑO *(Temerosamente)*

Gente de paz.

ZAPATERA *(Abriendo)*

¿Eres tú? *(Cambiando. Melosa y conmovida.)*

NIÑO

Sí, señora zapaterita; ¿estaba usted llorando?

ZAPATERA

No, es que un mosco de esos que hace píííííí... me ha picado en este ojo.

NIÑO

¿Quiere usted que le sople?

ZAPATERA

No, hijo mío, ya se me ha pasado... *(Lo acaricia.)* Y ¿qué es lo que quieres?

NIÑO

Vengo con estos zapatos de charol, costaron cinco duros, para que los arregle su marido. Son de mi hermana la grande, la que tiene el cutis tan fino y se pone dos lazos, que tiene dos, un día uno y otro día otro, en la cintura.

ZAPATERA

Déjalos ahí, ya los arreglarán.

NIÑO

Dice mi madre que tengan cuidado de no darles muchos martillazos, que el charol es muy delicado, para que no se estropee el charol.

ZAPATERA

Dile a tu madre que ya sabe mi marido lo que tiene que hacer, y que así supiera ella aliñar con laurel y pimienta un buen guiso como mi marido componer zapatos.

NIÑO *(Haciendo pucheros)*

No se disguste usted conmigo, que yo no tengo la culpa y todos los días estudio muy bien la gramática.

ZAPATERA *(Dulce)*

¡Hijo mío! ¡Prenda mía! ¡Si contigo no es nada! *(Lo besa.)* Toma este muñequito, ¿te gusta? Pues llévatelo.

NIÑO

Me lo llevaré, porque como yo sé que usted no tendrá nunca niños...

ZAPATERA

¿Quién te dijo eso?

NIÑO

Mi madre lo hablaba el otro día diciendo: «la zapatera no tendrá hijos»; se reían mis hermanas y mi comadre Rafaela.

ZAPATERA *(Nerviosísima)*

¿Hijos? Puede que los tenga más hermosos que todas ellas, y con más arranques y más honra, porque tu madre... es menester que sepas...

NIÑO

Tome usted el muñequito, ¡no lo quiero!

ZAPATERA *(Reaccionando)*

No, no, guárdalo, hijo mío... ¡Si contigo no es nada!

ESCENA 3.ª

DICHOS y el ZAPATERO *(Por la izquierda)*

(Viste traje de terciopelo con botones de plata, pantalón corto y corbata roja. Se dirige al banquillo.)

ZAPATERO

¡Válgate Dios!

NIÑO *(Asustado)*

¡Ustedes se conserven bien! ¡Hasta la vista! ¡Que sea enhorabuena! *¡Deo gratias!*

(Sale corriendo por la calle.)

ZAPATERA

Adiós, hijito... Si hubiera reventado antes de nacer, no estaría pasando estos trabajos y estas tribulaciones. Ay, dinero, dinero, sin manos y sin ojos debería haberse quedado el que te inventó.

ZAPATERO *(En el banquillo)*

Mujer... ¿qué estás diciendo?

ZAPATERA

Lo que a ti no te importa.

ZAPATERO

A mí no me importa nada de nada. Ya sé que tengo que aguantarme.

ZAPATERA

También me aguanto yo... Piensa que tengo dieciocho años.

ZAPATERO

Y yo... cincuenta y tres. Por eso me callo y no me disgusto contigo... ¡Demasiado sé yo!... Trabajo para ti... y sea lo que Dios quiera.

ZAPATERA

(Está de espaldas a su marido y se vuelve y avanza tierna y conmovida.)

Eso no, hijo mío... ¡no digas!

ZAPATERO

Pero, ay, si tuviera cuarenta años o cuarenta y cinco siquiera.

(Golpea furiosamente un zapato con un martillo.)

ZAPATERA *(Enardecida)*

Entonces yo sería tu criada, ¿no es esto? Si una no puede ser buena... ¿Y yo?, ¿es que no valgo para nada?

ZAPATERO

Mujer repórtate.

ZAPATERA

¿Es que mi frescura y mi cara no valen todos los dineros de este mundo?

ZAPATERO

Mujer... ¡que te van a oír los vecinos!

ZAPATERA

Maldita hora, maldita hora en que le hice caso a mi compadre Manuel.

ZAPATERO

¿Quieres que te eche un refresquito de limón?

ZAPATERA

¡Ay, tonta, tonta, tonta! *(Se golpea la frente.)* Con tan buenos pretendientes como yo he tenido.

ZAPATERO *(Queriendo suavizar)*

Eso dice la gente.

ZAPATERA

¿La gente? Por todas partes se sabe. Lo mejor de estas vegas. Pero el que más me gustaba a mí de todos era Emiliano... Tú lo conociste... Emiliano, que venía montado en una jaca negra llena borlas y espejitos, con una varilla de mimbre en su mano y las espuelas de cobre relucientes. ¡Y qué capa traía por el invierno! ¡Qué vueltas de pana azul y qué agremanes de seda!

ZAPATERO

Así tuve yo una también... Son unas capas preciosísimas.

ZAPATERA

¿Tú? Tú qué ibas a tener. ¿Pero por qué te haces ilusiones? Un zapatero no se ha puesto en su vida una prenda de esa clase...

ZAPATERO

Pero, mujer, no estás viendo...

ZAPATERA *(Interrumpiéndole)*

También tuve otro pretendiente...

(El ZAPATERO *golpea fuertemente el zapato.)*

Aquél era medio señorito... ¡Tendría dieciocho años! ¡Se dice muy pronto, dieciocho años!

(El ZAPATERO *se revuelve inquieto.)*

ZAPATERO

También los tuve yo.

ZAPATERA

Tú no has tenido en tu vida dieciocho años... Aquél sí que los tenía, y me decía unas cosas... Verás...

ZAPATERO *(Golpeando furioso)*

¿Te quieres callar? Eres mi mujer quieras o no quieras y yo soy tu esposo. Estabas pereciendo, sin camisa ni hogar. ¿Por qué me has querido? ¡Fantasiosa! ¡Fantasiosa! ¡Fantasiosa!

ZAPATERA *(Levantándose)*

¡Cállate! No me hagas hablar más de lo prudente y ponte a tu obligación. ¡Parece mentira!

(Dos vecinas con mantilla cruzan la ventana sonriendo.)

Quién me lo iba a decir, viejo pellejo, que me ibas a dar tal pago. ¡Pégame si te parece, anda! ¡Tírame el martillo!

ZAPATERO

¡Ay! Mujer... no me des escándalos, mira que viene la gente. ¡Ay, Dios mío!

(Las dos vecinas vuelven a cruzar.)

ZAPATERA

¡Yo me he rebajado, tonta, tonta, tonta! ¡Maldito sea mi compadre Manuel, malditos sean los vecinos, tonta, tonta, tonta!

(Entra dándose golpes en la cabeza.)

ESCENA 4.ª

ZAPATERO, VECINA ROJA y NIÑO

ZAPATERO *(Mirándose en un espejo y contándose las arrugas)*

Una, dos, tres, cuatro... y mil *(Mete el espejo)*. Pero me está muy bien empleado, sí señor. Porque vamos a ver ¿por qué me habré casado? Yo debí haber comprendido después de leer tantas novelas que las mujeres les gustan a todos los hombres, pero todos los hombres no les gustan a todas las mujeres. ¡Con lo bien que yo estaba! Mi hermana tiene la culpa, mi hermana que se empeñó. ¡Que si te vas a quedar solo!, ¡que si qué sé yo! Y esto es mi ruina. Mal rayo parta a mi hermana que en paz descanse.

(Fuera se oyen voces.)

¿Qué será?

VECINA ROJA *(En la ventana y con gran brío. La acompañan sus hijas vestidas del mismo color)*

Buenas tardes.

ZAPATERO *(Rascándose la cabeza)*

Buenas tardes.

VECINA ROJA

Dile a tu mujer que salga. Niñas, ¿queréis no llorar más? Que salga, a ver si por delante de mí casca tanto como por detrás.

ZAPATERO

¡Ay, vecina de mi alma, no me dé usted escándalos, por los clavitos de Nuestro Señor! ¿Qué quiere usted que yo le haga? Pero comprenda mi situación... Toda la vida temiendo casarme... porque casarse es una cosa muy seria, y a última hora ya lo está usted viendo.

VECINA ROJA

¡Qué lástima de hombre! ¡Cuánto mejor le hubiera ido a usted casado con gente de su clase... estas niñas, pongo por caso, u otras del pueblo!

ZAPATERO

Y mi casa no es casa. ¡Es un guirigay!

VECINA ROJA

¡Se arranca el alma! ¡Tan buenísima sombra como ha tenido usted toda su vida!

ZAPATERO *(Mira por si viene su mujer)*

Anteayer... despedazó el jamón que teníamos guardado para estas Pascuas y nos lo comimos entero. Ayer estuvimos todo el día con unas sopas de huevo y perejil; bueno, pues porque protesté de esto me hizo beber tres vasos seguidos de leche sin hervir.

VECINA ROJA

¡Qué fiera!

ZAPATERO

Así es, vecinita de mi corazón, que le agradecería en el alma que se retirase.

VECINA ROJA

¡Ay, si viviera su hermana!, aquélla sí que era...

ZAPATERO

Ya ves... Y de camino llévate tus zapatos, que están arreglados.

> (*Por la puerta de la izquierda asoma la* ZAPATERA; *detrás de la cortina espía la escena sin ser vista.*)

VECINA ROJA (*Mimosa*)

¿Cuánto me vas a llevar por ellos?... Los tiempos van cada vez peor.

ZAPATERO

Lo que tú quieras... Ni que tire por allí, ni que tire por aquí...

VECINA ROJA *(Dando en el codo a sus hijas)*

¿Están bien en dos pesetas?

ZAPATERO

¡Tú dirás!

VECINA ROJA

Vaya, te daré una...

ZAPATERA *(Saliendo furiosa)*

¡Ladrona! *(Las mujeres chillan y se asustan.)* ¿Tienes valor de robar a este hombre de esa manera? *(A su marido.)* ¿Y tú de dejarte robar? Vengan los zapatos. Mientras no des por ellos diez pesetas, aquí se quedan.

VECINA ROJA

¡Lagarta, lagarta!

ZAPATERA

¡Mucho cuidado con lo que estás diciendo!

NIÑAS

¡Ay, vámonos, vámonos, por Dios!

VECINA ROJA

¡Bien despachado vas de mujer! ¡Que te aproveche!

> *(Se van rápidamente. El* ZAPATERO *cierra la ventana y la puerta.)*

ESCENA 5.ª

ZAPATERO y ZAPATERA

ZAPATERO *(Cerrando la ventana)*

Escúchame un momento.

ZAPATERA *(Recordando)*

Lagarta... lagarta... ¿Qué me vas a decir?

ZAPATERO

Mira, hija mía, toda mi vida ha sido en mí una verdadera preocupación evitar el escándalo.

(El ZAPATERO *traga constantemente saliva.)*

ZAPATERA

¿Pero tienes el valor de llamarme escandalosa cuando he salido a defender tu dinero?

ZAPATERO

Yo no te digo más, que he huido de los escándalos como las salamanquesas del agua fría.

ZAPATERA *(Rápida)*

¡Salamanquesas! ¡Ay qué asco!

ZAPATERO *(Armado de paciencia)*

Me han provocado, me han a veces insultado, y no teniendo ni tanto así de cobarde, he quedado con mi alma en mi almario por el miedo de verme rodeado de gentes y llevado y traído por comadres y desocupados. De modo que ya lo sabes. ¿He hablado bien? Esta es mi última palabra.

ZAPATERA

Pero vamos a ver, ¿a mí qué me importa todo eso? Me casé contigo, ¿no tienes la casa limpia?, ¿no comes?, ¿no te pones cuellos y puños, que en tu vida te los habías puesto?, ¿no llevas tu reloj tan hermoso con cadena de plata y venturinas al que doy cuerda todas las noches? ¿Qué más quieres? Porque yo todo menos esclava. Quiero hacer siempre mi santa voluntad.

ZAPATERO

No me digas... Tres meses llevamos casados, yo queriéndote... y tú poniéndome verde. ¿No ves que ya no estoy para bromas?

ZAPATERA *(Seria y como soñando)*

Queriéndome... queriéndome... pero *(Brusca)* ¿qué es eso de queriéndome? ¿Qué es queriéndome?

ZAPATERO

Tú te creerás que yo no tengo vista, y tengo. Sé lo que haces y lo que no haces, y ya estoy colmado, ¡hasta aquí!

ZAPATERA *(Fiera)*

Pues lo mismo se me da a mí que estés colmado como que no estés, porque tú me importas tres pitos, ¡ya lo sabes! *(Llora.)*

ZAPATERO

¿No puedes hablarme un poquito más bajo?

ZAPATERA

Merecías, por tonto, que colgara la calle a gritos.

ZAPATERO

Afortunadamente creo que esto se acabará pronto, porque yo no sé cómo tengo paciencia.

ZAPATERA

Hoy no comemos... De manera que ya te puedes buscar la comida por otro sitio.

(La ZAPATERA *entra rápidamente hecha una furia.*)

ZAPATERO

Mañana *(Sonriendo),* quizá la tengas que buscar tú también.

(Se va al banquillo.)

ESCENA 6.ª

(Por la puerta central aparece el ALCALDE. Viste de azul oscuro, gran capa y larga vara de mando rematada con cabos de plata. Habla despacio y con gran sorna.)

ALCALDE

¿En el trabajo?

ZAPATERO

En el trabajo, señor Alcalde.

ALCALDE

¿Mucho dinero?

ZAPATERO

El suficiente.

(El ZAPATERO *sigue trabajando. El* ALCALDE *mira curiosamente a todos lados.)*

ALCALDE

Tú no estás bueno.

ZAPATERO *(Sin levantar la vista)*

No.

ALCALDE

La mujer.

ZAPATERO *(Asintiendo)*

La mujer.

ALCALDE *(Sentándose)*

Eso tiene casarse a tu edad... A tu edad se debe ya estar viudo... de una como mínimum... Yo estoy de cuatro: Rosa, Manuela, Visitación y Enriqueta Gómez, que ha sido la última; buenas mozas todas, aficionadas al baile y al agua limpia. Todas sin excepción han probado esta vara repetidas veces. En mi casa... en mi casa, coser y cantar.

ZAPATERO

Pues ya está usted viendo qué vida la mía. Mi mujer... no me quiere. Habla por la ventana con todos. Hasta con don Mirlo, y a mí se me está encendiendo la sangre.

ALCALDE *(Riendo)*

Es que ella es una chiquilla alegre; eso es natural.

ZAPATERO

Ca. Estoy convencido... yo creo que esto lo hace por atormentarme. Porque estoy seguro... ella me odia. Al principio creí que la dominaría con mi carácter dulzón y mis regalillos, collares de coral, cintillos, peinetas de concha... hasta unas ligas. Pero ella... ella siempre ella.

ALCALDE

Y tú siempre tú, ¡qué demonio! Vamos, lo estoy viendo y me parece mentira cómo un hombre, lo que se dice un hombre, no puede meter en cintura, no una, sino ochenta hembras. Si tu mujer habla por la ventana con todos, si tu mujer se pone agria contigo, es porque tú quieres, porque tú no tienes arranque. A las mujeres, buenos apretones en la cintura, pisadas fuertes y la voz siempre en alto, y si con esto se atreven a hacer quiquiriquí, la vara, no hay otro remedio. Rosa, Manuela, Visitación y Enriqueta Gómez, que ha sido la última, te lo pueden decir desde la otra vida, si es que por casualidad están allí.

ZAPATERO

Yo no he querido nunca líos. Soy el hombre del vaso de vino y la sopita de miel, bromista pacífico, al que le gusta tomar el sol, qué hermoso en paz con todo el mundo.

ALCALDE

¿Pero me lo vas a decir a mí? Si yo te conozco de toda la vida; tú has sido el que ha hecho las comparsas más graciosas de los carnavales, el hombre que ha tenido las mejores ocurrencias del pueblo... de eso no hay que hablar; lo que me choca extraordinariamente es que tú, queriendo a tu mujer como necesariamente tienes que quererla, soportas que ella mande en ti.

ZAPATERO

Pero si el caso es que no manda... Señor Alcalde, no me atrevo a decirle una cosa. *(Mira con recelo.)*

ALCALDE *(Autoritario)*

Dímela.

ZAPATERO

Comprendo que es una barbaridad... pero... yo no estoy enamorado de mi mujer.

ALCALDE

¡Demonio!

ZAPATERO

Sí señor, demonio.

ALCALDE

Entonces, grandísimo tunante, ¿por qué te has casado?

ZAPATERO

Ahí lo tiene usted, yo no me lo explico tampoco. Mi hermana tiene la culpa. Que si te vas a quedar solo, que si qué sé yo, que si qué sé yo cuánto. Yo tenía dinerillo, salud, y dije «allá voy». Pero benditísima soledad antigua. Mal rayo parta a mi hermana, que en paz descanse.

ALCALDE

¡Pues te has lucido!

ZAPATERO

Sí señor, me he lucido... Ahora que yo no aguanto más. Yo no sabía lo que era una mujer. Digo, usted cuatro. Digo, usted cuatro... Yo no tengo edad para resistir este jaleo.

ZAPATERA *(Dentro, cantando fuerte)*

Ay jaleo, jaleo
ya se acabó el alboroto
y vamos al tiroteo.

ZAPATERO

Ya lo está usted oyendo.

ALCALDE

¿Y qué piensas hacer?

ZAPATERO

Cuca silvana. *(Hace ademán.)*

ALCALDE

¿Se te ha vuelto el juicio?

ZAPATERO *(Excitado)*

El zapatero a tus zapatos se acabó para mí. Yo soy un hombre pacífico. Yo no estoy acostumbrado a estos voceríos y a estar en lenguas de todos.

ALCALDE

No creo lo que dices, pero domina a tu mujer que para eso eres hombre, y quédate en paz. ¿Dónde vas a ir por estas tierras de Dios?

ZAPATERO

A descansar. Me siento ágil. Y que no, que no puedo más.

ALCALDE *(Riéndose)*

Recapacita lo que has dicho que vas a hacer, que tú eres capaz de hacerlo, y no seas tonto. Es una lástima que un hombre como tú no tenga el carácter que debía tener.

> *(Por la puerta de la izquierda aparece la* ZA-PATERA *echándose polvos con una polvera rosa y limpiándose las cejas.)*

ESCENA 7.ª

DICHOS y ZAPATERA

ZAPATERA

Buenas tardes.

ALCALDE

Muy buenas. *(Al* ZAPATERO.) Como guapa es guapísima.

ZAPATERO

¿Usted cree?

ALCALDE *(A la Zapatera)*

Qué rosas tan bien puestas lleva usted en el pelo y qué bien huelen.

ZAPATERA

Muchas que tiene usted en los balcones de su casa.

ALCALDE

Efectivamente... ¿Le gustan a usted las flores?

ZAPATERA

A mí... ay, me encantan. Hasta en el tejado tendría yo macetas; en la puerta, por las paredes, pero a éste... a ése... no le gustan. Claro, toda la vida haciendo botas... ¿qué quiere usted? *(Se sienta en la ventana.)* Y buenas tardes. *(Mira a la calle y coquetea.)*

ZAPATERO

¿Lo ve usted?

ALCALDE

Un poco brusca... Pero es una mujer guapísima, qué cintura tan ideal.

ZAPATERO

No la conoce usted.

ALCALDE

Pschs. *(Saliendo majestuosamente.)* Hasta mañana. Y a ver si se despeja esa cabeza. A descansar, niña. Qué lástima de talle. *(Vase mirando a la* ZAPATERA.*)* Porque vamos... Y hay que ver qué ondas en el pelo.

ZAPATERO *(Cantando)*

Si tu madre quiere un rey,
la baraja tiene cuatro:
rey de oros, rey de copas,
rey de espada, rey de bastos.

ESCENA 8.ª

ZAPATERA y ZAPATERO

(La ZAPATERA *coge una silla y, sentada en la ventana, empieza a darle vueltas.)*

ZAPATERA *(Cantando)*

Ay jaleo, jaleo,
ya se acabó el alboroto
y vamos al tiroteo.

ZAPATERO *(Cogiendo otra silla y dándole vueltas en sentido contrario)*

Si sabes que tengo esta superstición y para mí esto es como si me dieras un tiro, ¿por qué lo haces?

ZAPATERA *(Soltando la silla)*

¿Qué he hecho yo? ¿No te digo que me no me dejas ni moverme?

ZAPATERO

Ya estoy harto de explicarte... pero es inútil.

(Va a hacer mutis, pero la ZAPATERA empieza otra vez y el ZAPATERO viene corriendo desde la puerta y da vueltas a su silla.)

¿Por qué no me dejas marchar, mujer?

ZAPATERA

Jesús, pero si lo que yo estoy deseando es que te vayas.

ZAPATERO

¡Pues déjame!

ZAPATERA *(Enfurecida)*

¡Pues vete!

(Fuera se oye una flauta acompañada de guitarra que toca una polquita antigua con el

ritmo cómicamente acusado. La ZAPATERA
empieza a llevar el compás con la cabeza y el
ZAPATERO *huye por la izquierda.)*

ESCENA 9.ª

ZAPATERA

ZAPATERA *(Cantando)*

Larán... Larán... A mí es que la flauta me ha gustado
siempre mucho. Yo siempre he tenido delirio por ella... casi
se me saltan las lágrimas... ¡Qué primor! Larán... larán...
Oye... me gustaría que él la oyera...

> *(Se levanta y se pone a bailar como si lo hi-*
> *ciera con novios imaginarios.)*

Ay, Emiliano, qué cintillos tan preciosos llevas... No,
no... me da vergüencilla... Pero José María, ¿no ves que nos
están viendo?... Coge un pañuelo, que no quiero que me
manches el vestido; es de seda. A ti te quiero... a ti... Ah,
sí... mañana que traigas la jaca blanca... la que a mí me
gusta... *(Ríe. Cesa la música.)* ¡Qué mala sombra! Esto es
dejar a una con la miel en los labios... qué...

ESCENA 10.ª

(Aparece en la ventana DON MIRLO, *viste de*
negro, frac y pantalón corto. Le tiembla la voz y
mueve la cabeza como un muñeco de alambre.)

MIRLO

Chisss.

ZAPATERA *(Sin mirar y vuelta*
de espaldas a la ventana)

Pin pin pío pío pío.

MIRLO *(Acercándose más)*

Chisss... Zapaterita, blanca como el corazón de las almendras, pero amargosilla también... Zapaterita... junco de oro encendido... Zapaterita, Bella Otero de mi corazón.

ZAPATERA

Cuántas cosas, don Mirlo. A mí me parecía imposible que los pajarracos hablaran. Pero si anda por ahí revoloteando un mirlo negro, negro y viejo... sepa que yo no puedo oírle cantar hasta más tarde... Pin pío, pío pío.

MIRLO

Cuando las sombras crepusculares invadan con sus tenues velos el mundo y la vía pública se halle libre de transeúntes, volveré. *(Toma rapé y estornuda sobre el cuello de la* ZAPATERA.*)*

ZAPATERA *(Volviéndose airada*
y pegando a Don Mirlo, que tiembla)

Aaaaaay. *(Con cara de asco.)* Y aunque no vuelvas, indecente, mirlo de alambre, garabato de candil... ¡Corre, corre!... ¿Se habrá visto? ¿Mira que estornudar? ¡Vaya mucho con Dios! ¡Qué asco!

ESCENA 11.ª

(En la ventana se para el MOZO DE LA FAJA. *Tiene el sombrero plano echado a la cara y da pruebas de gran pesadumbre lenta.)*

MOZO

¿Se toma el fresco, zapaterita?

ZAPATERA

Exactamente igual que usted.

MOZO

Y siempre sola... ¡qué lástima!

ZAPATERA *(Agria)*

¿Y por qué lástima?

MOZO

Una mujer como usted, con ese pelo y esa pechera tan hermosísima.

ZAPATERA *(Más agria)*

¿Y por qué lástima?

MOZO

Porque usted es digna de estar pintada en las tarjetas postales, y no aquí... este portalillo.

ZAPATERA

¿Sí?... A mí las tarjetas postales me gustan mucho, sobre todo... las de novios que se van de viaje...

MOZO

¡Ay, zapaterita, qué calentura tengo!

(Siguen hablando.)

ZAPATERO *(Entrando y retrocediendo)*

Con todo el mundo. ¡Y a estas horas! ¡Qué dirán los que vengan al rosario de la iglesia! ¡Qué dirán en el casino! ¡Me estarán poniendo!... ¡En cada casa un traje con ropa interior y todo!

ZAPATERA *(Ríe)*

¡Ay Dios mío! ¡Tengo razón para marcharme! ¡Quisiera oír a la mujer del sacristán! Pues ¿y los curas?, ¿qué dirán los curas? ¡Eso será lo que habrá que oír!

(Entra desesperado.)

MOZO

¿Cómo quiere que se lo exprese?... Yo la quiero... te quiero como...

ZAPATERA

Verdaderamente, eso de la quiero, te quiero, suena de un modo... que parece que me están haciendo cosquillas con una pluma detrás de las orejas; la quiero... te quiero...

MOZO

¿Cuántas semillas tiene el girasol?

ZAPATERA

¡Yo qué sé!

MOZO

Tantos suspiros doy cada minuto por usted... por ti. *(Muy cerca.)*

ZAPATERA *(Brusca)*

Estate quieto. Yo puedo oírte hablar porque me gusta y es bonito, pero nada más, ¿lo oyes? ¡Estaría bueno!

MOZO

Pero eso no puede ser. ¿Es que tienes otros compromisos?

ZAPATERA

Mira. ¡Vete!

MOZO

No me muevo de este sitio sin el sí. ¡Ay, mi zapaterita, dame tu palabra! *(Va a abrazarla.)*

ZAPATERA *(Cerrando violentamente la ventana)*

Pero qué impertinente, ¡qué loco!... ¡Si te he hecho daño, te aguantas! Como si yo no estuviera aquí más que para... para. ¿Es que en este pueblo no puede una hablar con nadie? Por lo que veo, en este pueblo no hay más que dos extremos: o monja, o trapo de fregar... ¡Era lo que me quedaba que ver! *(Haciendo como que huele y echando a correr.)* ¡Ay mi comida que está en la lumbre! ¡Mujer ruin!

ESCENA 12.ª

(La luz se va marchando. El ZAPATERO *sale con una gran capa y un bulto de ropa en la mano.)*

ZAPATERO

O soy otro hombre o no me conozco. ¡Ay, casita mía! ¡Ay, banquillo mío, cerote, clavos, pies de becerro!... Bueno. *(Se dirige a la puerta y retrocede.)* Tengo ganas de marcharme, pero ¿y si no tuviera ganas, qué pasaría?, porque hay que fijarse el contradiós que es esto. Pero ya no tengo otro recurso... Porque, vamos a ver, ¿soy yo capaz de domarla?... No, porque con esa sangre de toro que tiene, me echa en el suelo en cuanto me ponga una mano encima... Así es que esto ya no tiene compostura; además dirán todos en el pueblo «zancajoso, zancajoso»; y tendrán razón, porque esto que yo hago, esto que yo hago es lo que hay que ver.

(Abre la puerta y se topa con dos beatas en el mismo quicio.)

BEATA 1.ª

¿Descansando, verdad?

BEATA 2.ª

¡Hace usted bien en descansar!

ZAPATERO *(Con mal humor)*

¡Buenas noches!

BEATA 1.ª

A descansar, maestro.

BEATA 2.ª

A descansar, a descansar.

(Se van.)

ZAPATERO

Sí... descansando... ¿Pues no estaban mirando por el ojo de la llave? ¡Brujas! ¡Sayonas! ¡Cuidado con el retintín con que me lo han dicho! Claro... Si en todo el pueblo no se hablará de otra cosa, que si yo, que si ella, que si los mozos. ¡Ay! ¡Mal rayo parta a mi hermana, que en paz descanse! ¡Pero primero solo que señalado por el dedo de los demás!

(Sale rápidamente y deja la puerta abierta. Por la izquierda aparece la ZAPATERA.*)*

ESCENA 13.ª

La ZAPATERA

ZAPATERA

Ya está la comida... ¿Me estás oyendo? *(Avanza hacia la puerta de la derecha.)* ¿Me estás oyendo?... ¿Pero habrá tenido el valor de marcharse al cafetín dejando la puerta abierta... y sin haber terminado los borceguíes? ¡Pues cuando vuelva, me oirá! ¡Me tiene que oír! ¡Qué hombres son los hombres! ¡Qué abusivos... qué... qué... vaya! *(En un repeluzno.)* ¡Ay, qué fresquito hace!

> *(Se pone a encender el candil y de la calle*
> *llega el ruido de las esquilas de los rebaños*
> *que vuelven al pueblo. La* ZAPATERA *se asoma*
> *a la ventana.)*

¡Qué primor de rebaños! ¡Lo que es a mí me chalan las ovejitas! Mira, mira... aquella blanca tan chiquita que casi no puede andar. ¡Ay!... pero aquella grandota y antipatiquísima se empeña en pisarla... y nada... *(A voces.)* ¡Pastor! ¡Asombrado! ¿No estás viendo que te pisotean la oveja recién nacida? *(Pausa.)* Pues claro que me importa; ¿no ha de importarme, brutísimo?... ¡y mucho!... *(Se quita de la ventana.)* Pero señor, ¿adónde habrá ido este hombre desnortado? Pues si tarda siquiera dos minutos más, como yo sola, que me basto y me sobro... ¡Con la comida tan buena que he preparado!... Mi cocido con sus patatas de la sierra, dos pimientos verdes, pan blanco, un poquito de magro de tocino, y arrope con calabazas y cáscara de limón para encima. Porque lo que es cuidarlo, lo que es cuidarlo, lo estoy cuidando a mano.

> *(Ya dará durante todo este monólogo muestras*
> *de gran actividad, moviéndose de un lado*
> *para otro, arreglando las sillas, despabilando*
> *el velón y quitándose motas del vestido.)*

ESCENA 14.ª

NIÑO, ZAPATERA, ALCALDE, SACRISTANA,
VECINOS y VECINAS

NIÑO *(En la puerta)*

¿Estás disgustada todavía?

ZAPATERA

Primorcito de su vecina, ¿adónde vas?

NIÑO *(En la puerta)*

Tú no me regañarás, ¿verdad? Porque a mi madre, que algunas veces me pega, la quiero veinte arrobas, pero a ti te quiero treinta y dos y media...

ZAPATERA

¿Por qué eres tan precioso?

(Sienta al NIÑO en sus rodillas.)

NIÑO

Yo venía a decirte una cosa que nadie quiere decirte. «Ve tú, ve tú, ve tú» y nadie quería; y entonces: «que vaya el niño», dijeron... Porque era un notición que nadie quiere dar...

ZAPATERA

Pero dímelo pronto, ¿qué, qué ha pasado?

NIÑO

¡No te asustes, que de muertos no es!

ZAPATERA

¡Anda!

NIÑO

Mira, zapaterita...

(Por la ventana entra una mariposa y el NIÑO
bajándose de las rodillas de la ZAPATERA *echa
a correr.)*

Una mariposa, una mariposa... ¿no tienes un sombrero?
Es amarilla con pintas azules y rojas y... ¡qué sé yo!

ZAPATERA

Pero, hijo mío, ¿quieres?...

NIÑO *(Enérgico)*

Cállate y habla en voz baja. ¿No ves que se espanta si
no? ¡Ay! ¡Dame tu pañuelo!

ZAPATERA *(Intrigada ya en la caza)*

Tómalo.

NIÑO

Chsssss. No pises fuerte.

ZAPATERA

Lograrás que se escape.

NIÑO *(En voz baja y como encantando*
a la mariposa, canta)

Mariposa
Carita de rosa
Luz de candil,
¿Mariposa, estás ahí?

ZAPATERA *(En broma)*

¡Síííííí!

NIÑO

No vale, eso no vale.

(La mariposa vuela.)

ZAPATERA

¡Ahora, ahora!

NIÑO *(Corriendo alegremente con el pañuelo)*

¿No te quieres parar? ¿No quieres dejar de volar?

ZAPATERA *(Corriendo también por otro lado)*

¡Que se escapa, que se escapa!

(El NIÑO *sale corriendo por la puerta persi-*
guiendo a la mariposa.)

ZAPATERA *(Enérgica)*

¿Dónde vas?

NIÑO *(Suspenso)*

¡Es verdad! *(Rápido.)* Pero yo no tengo la culpa.

ZAPATERA

¡Vamos! ¿Quieres decirme lo que pasa? ¡Pronto!

NIÑO

¡Ay!, pues mira... tu marido el zapatero se ha ido para no volver más.

ZAPATERA *(Aterrada)*

¿Cómo?

NIÑO

Sí, sí; eso ha dicho en casa antes de montarse en la diligencia, que lo he visto yo... Y nos encargó que te lo dijéramos y ya lo sabe todo el pueblo.

ZAPATERA *(Sentándose, desplomada)*

¡No es posible! ¡Esto no es posible! ¡Yo no lo creo!

> *(Por la puerta empiezan a entrar vecinas con trajes de colores violentos y que llevan grandes vasos de refrescos. Giran, corren, entran y salen, alrededor de la* ZAPATERA *que está sentada gritando. Con prontitud y ritmo de baile, las grandes faldas se deben abrir a las vueltas que dan. Todos adoptan una actitud cómica de pena...)*

VECINA AMARILLA

Un refresco.

VECINA ROJA

Un refresquito.

VECINA VERDE

Para la sangre.

VECINA NEGRA

De limón.

VECINA MORADA

De zarzaparrilla.

VECINA ROJA

La menta es mejor.

VECINA MORADA

¡Vecina!

VECINA VERDE

Vecinita.

VECINA NEGRA

Zapatera.

VECINA ROJA

Zapaterita.

(Las VECINAS *arman gran algazara. La* ZAPA-TERA *llora a gritos.)*

TELÓN

ACTO SEGUNDO

(*La misma decoración. A la izquierda, el banquillo arrumbado. A la derecha, un mostrador con botellas y un lebrillo con agua donde la* ZAPATERA *friega las copas. La* ZAPATERA *está detrás del mostrador. Viste un traje rojo encendido, con amplias faldas y los brazos al aire. En la escena, dos mesas. En una de ellas está sentado* DON MIRLO, *que toma un refresco, y en la otra el* MOZO DEL SOMBRERO *en la cara.*
La ZAPATERA *friega con gran ardor vasos y copas que va colocando en el mostrador. Aparece en la puerta el* MOZO DE LA FAJA *y el sombrero plano del primer acto. Está triste. Lleva los brazos caídos y mira de manera tierna a la* ZAPATERA. *Al actor que exagere lo más mínimo en este tipo, debe el director de escena darle un bastonazo en la cabeza. Nadie debe exagerar. La farsa exige siempre naturalidad. El autor ya se ha encargado de dibujar el tipo y el sastre de vestirlo. Sencillez. El* MOZO *se detiene en la puerta.*)

Don Mirlo *y el otro* Mozo *lo miran. Ésta es casi una escena de cine. Las miradas y expresión del conjunto dan su expresión. La* Zapatera *deja de fregar y mira al* Mozo *fijamente. Silencio.)*

ESCENA 1.ª

Zapatera

Pase usted.

Mozo de la Faja

Si usted lo quiere...

Zapatera *(Asombrada)*

¿Yo? Me trae absolutamente sin cuidado, pero como lo veo en la puerta...

Mozo de la Faja

Lo que usted quiera. *(Se apoya en el mostrador.)*

Mozo del Sombrero *(Entre dientes)*

Éste es otro al que voy a tener que...

Zapatera

¿Qué va a tomar?

Mozo de la Faja

Seguiré sus indicaciones.

ZAPATERA

Pues la puerta.

MOZO DE LA FAJA

¡Ay Dios mío, cómo cambian los tiempos!

ZAPATERA

No crea que me voy a echar a llorar. Vamos, ¿va usted a tomar copa, café, refresco?, ¿diga?

MOZO DE LA FAJA

Refresco.

ZAPATERA

No me mire tanto, que se me va a derramar el jarabe.

MOZO DE LA FAJA

Es que yo me estoy muriendo. ¡Ay!

> (*Por la ventana pasan dos* MAJAS *con inmensos abanicos. Miran, se santiguan escandalizadas, se tapan los ojos con los pericones y a pasos menuditos cruzan.*)

ZAPATERA

El refresco.

MOZO DE LA FAJA (*Mirándola*)

¡Ay!

Mozo del Sombrero

¡Ay! *(Mirando al suelo.)*

Don Mirlo

¡Ay! *(Mirando al techo.)*

> *(La* Zapatera *dirige la cabeza hacia los tres ayes.)*

Zapatera

¡Requeteay! ¿Pero esto es una taberna o un hospital? ¡Abusivos! Si no fuera porque tengo que ganarme la vida con estos vinillos y este trapicheo, porque estoy sola desde que se fue por culpa de todos vosotros mi pobrecito marido de mi alma, ¿cómo es posible que yo aguantara esto? ¿Qué me dicen ustedes? Los voy a tener que plantar en lo ancho de la calle.

Don Mirlo

Muy bien, muy bien dicho.

Mozo del Sombrero

Has puesto taberna y podemos estar aquí dentro todo el tiempo que queramos.

Zapatera *(Fiera)*

¿Cómo? ¿Cómo?

> *(El* Mozo de la Faja *inicia el mutis y* Don Mirlo *se levanta sonriendo y haciendo como que está en el secreto y que volverá.)*

MOZO DEL SOMBRERO

Lo que he dicho.

ZAPATERA

Pues si dices tú, más digo yo, y puedes enterarte y todos los del pueblo, que hace cuatro meses que se fue mi marido y no cederé a nadie jamás, porque una mujer casada debe estarse en su sitio como Dios manda. Y que no me asusto de nadie, ¿lo oyes? Que yo tengo la sangre de mi abuelo que esté en gloria, que fue desbravador de caballos y lo que se dice un hombre. Decente fui y decente lo seré. Me comprometí con mi marido. ¡Pues hasta la muerte!

(DON MIRLO *sale por la puerta rápidamente y haciendo señas que indican una relación entre él y la* ZAPATERA.)

MOZO DEL SOMBRERO *(Levantándose)*

Tengo tanto coraje que agarraría un toro de los cuernos, le haría hincar la cerviz en las arenas y después me comería sus sesos crudos con estos dientes míos en la seguridad de no hartarme de morder.

(Sale rápidamente y DON MIRLO *huye hacia la izquierda.)*

ZAPATERA *(Con las manos en la cabeza)*

Jesús, Jesús, Jesús y Jesús. *(Se sienta.)*

ESCENA 2.ª

ZAPATERA y NIÑO

(Por la puerta entra el NIÑO *que se dirige a la* ZAPATERITA *y le tapa los ojos.)*

NIÑO

¿Quién soy yo?

ZAPATERA

Mi niño pastorcillo de Belén.

NIÑO

¡Ya estoy aquí! *(Se besan.)*

ZAPATERA

¿Vienes por la merendita?

NIÑO

¡Si tú me la quieres dar!

ZAPATERA

Hoy tengo una onza de chocolate.

NIÑO

¿Sí? ¡A mí me gusta mucho estar en tu casa!

ZAPATERA *(Dándole la onza)*

Porque eres interesadillo.

NIÑO

¿Interesadillo? ¿Ves este cardenal que tengo en la rodilla?

ZAPATERA

¿A ver?

>   *(Se sienta en una silla baja y toma al* NIÑO *en sus brazos.)*

NIÑO

Pues me lo ha hecho el Lunillo porque estaba cantando... las coplas que te han sacado, y yo le pegué en la cara, y entonces él me tiró una piedra que ¡plaf!, mira.

ZAPATERA

¿Te duele mucho?

NIÑO

Ahora no, pero he llorado.

ZAPATERA

No hagas caso ninguno de lo que dicen.

NIÑO

Es que eran cosas muy indecentes. Cosas indecentes que yo sé decir, ¿sabes?, pero que no quiero decir.

ZAPATERA *(Riéndose)*

Porque si lo dices, cojo un pimiento picante y te pongo la lengua como un ascua. *(Ríen.)*

NIÑO

Pero, ¿por qué te echarán a ti la culpa de que tu marido se haya marchado?

ZAPATERA

Ellos, ellos son los que la tienen y los que me hacen desgraciada.

NIÑO *(Triste)*

No digas, zapaterita.

ZAPATERA

Yo me miraba en sus ojos. Cuando lo veía venir montado en su jaca blanca...

NIÑO *(Interrumpiendo)*

¡Ja, ja, ja, ja! Me estás engañando. El señor zapatero no tenía jaca.

ZAPATERA

Niño, sé más respetuoso. Tenía jaca, claro que la tuvo pero es... es que tú no habías nacido.

NIÑO *(Pasándole la mano por la cara)*

¡Ah! ¡Eso sería!

ZAPATERA

Ya ves tú... Cuando lo conocí estaba yo lavando en el arroyo del pueblo. Medio metro de agua y las chinas del fondo se veían reír con el temblorcillo. Él venía con su traje negro entallado, corbata roja de seda buenísima y cuatro anillos de oro que relumbraban como cuatro soles.

NIÑO

¡Qué bonito!

ZAPATERA

Me miró, y lo miré. Yo me recosté en la hierba. Todavía me parece sentir en la cara aquel aire tan fresquito que venía por los árboles. Él paró su caballo y la cola del caballo era blanca y tan larga que llegaba al agua del arroyo.

(*La* ZAPATERA *está casi llorando. Empieza a oírse un canto lejano.*)

Me puse tan azarada que se me fueron dos pañuelos preciosos, así de pequeñitos, en la corriente.

NIÑO

¡Qué risa!

ZAPATERA

Entonces me dijo... (*El canto se oye muy cerca. Pausas.*) Chisss...

NIÑO (*Se levanta*)

¡Las coplas!

ZAPATERA

¡Las coplas! (*Pausa. Los dos escuchan.*) ¿Tú sabes lo que dicen?

NIÑO *(Con la mano)*

Medio, medio.

ZAPATERA

Pues cántalas, que quiero enterarme.

NIÑO

¿Para qué?

ZAPATERA

Para que yo sepa de una vez lo que dicen.

NIÑO *(Cantando y siguiendo el compás)*

Verás:

> La señora Zapatera,
> al marcharse su marido,
> ha montado una taberna
> donde acude el señorío.

ZAPATERA

¡Me las pagarán!

> *(El* NIÑO *lleva el compás con la mano en la mesa.)*

NIÑO

> ¿Quién te compra, Zapatera,
> el paño de tus vestidos
> y esas chambras de batista
> con encaje de bolillos?

Ya la corteja el Alcalde,
ya la corteja don Mirlo,
Zapatera, Zapatera,
Zapatera, te has lucido.

(Las voces se van distinguiendo cerca y claras
con su acompañamiento de pandero. La ZA-
PATERA *coge un mantoncillo de Manila y se lo*
echa sobre los hombros.)

NIÑO *(Asustado)*

¿Dónde vas?

ZAPATERA

Van a dar lugar a que compre un revólver.

(El canto se aleja. La ZAPATERA *corre a la*
puerta, pero tropieza con el ALCALDE *que*
viene majestuoso dando golpes con la vara en
el suelo.)

ALCALDE

¿Quién despacha?

ZAPATERA

¡El demonio!

ALCALDE

Pero, ¿qué ocurre?

ZAPATERA

Lo que usted debía saber hace muchos días, lo que usted como alcalde no debía permitir. La gente me canta coplas, los vecinos se ríen en sus puertas y, como no tengo marido que vele por mí, salgo yo a defenderme, ya que en este pueblo las autoridades son calabacines, ceros a la izquierda, estafermos.

NIÑO

Muy bien dicho.

ALCALDE *(Enérgico)*

Niño, niño, basta de voces... ¿Sabes tú lo que he hecho ahora? Pues meter en la cárcel a dos o tres de los que venían cantando.

ZAPATERA

¡Quisiera yo ver eso!

VOZ *(Fuera)*

¡Niñoooooo!

NIÑO

Mi madre me llama. *(Corre a la ventana.)* ¿Quéee? Adiós. Si quieres te puedo traer el espadón grande de mi abuelo el que se fue a la guerra... Yo no puedo con él, ¿sabes?, pero tú, sí.

ZAPATERA *(Sonriendo)*

Lo que quieras.

VOZ *(Fuera)*

¡Niñooooo!

NIÑO *(Ya en la calle)*

¡Quéeeeeee!

ESCENA 3.ª

ZAPATERA y ALCALDE

ALCALDE

Por lo que veo, este niño sabio y retorcido es la única persona a quien tratas bien en el pueblo.

ZAPATERA

No pueden ustedes hablar una sola palabra sin ofender... ¿De qué se ríe su ilustrísima?

ALCALDE

De verte tan hermosa y tan desperdiciada.

ZAPATERA

¡Antes un perro! *(Le sirve un vaso de vino.)*

ALCALDE

¡Qué desengaño de mundo! Muchas mujeres he conocido; como amapolas, como rosas de olor... mujeres morenas con los ojos como tinta de fuego, mujeres que les huele el pelo a nardos y siempre tienen las manos con calentura, mujeres cuyo talle se puede abarcar con estos dos dedos, pero como tú, como tú no hay nadie. Esto es pura experiencia. Conozco bien el ganado. Yo sé lo que me digo. *(Se levanta poco a poco.)*

ZAPATERA *(En el mostrador y conteniéndose)*

Haga usted el favor de callarse.

ALCALDE

¿Cómo me voy a callar? Cuanto te veo ese cuerpo, ese cuerpazo que ni flor de manteca, ni manzana, ni la piedra de mármol son comparables, y esa mata de pelo tan hermosísima, que habrá que verla cuando te la sueltes, no puedo con lo que me entra en la sangre. Anteayer estuve enfermo toda la mañana porque vi tendidas en el prado dos camisas tuyas con lazos celestes, que era como verte a ti, zapatera de mi alma.

ZAPATERA *(Estallando furiosa)*

¡Que yo no tengo paciencia!

ALCALDE *(Sentándose)*

¡Mujer!

ZAPATERA *(Acercándose)*

Calle usted, viejísimo, calle usted, con dos hijas mozuelas y lleno de familia no se debe cortejar de esta manera tan indecente y tan descarada.

ALCALDE

Soy viudo.

ZAPATERA

Y yo casada.

ALCALDE

Pero tu marido te ha dejado, y no volverá, estoy bien seguro.

ZAPATERA

Yo viviré como si lo tuviera.

ALCALDE

Pues a mí me consta, porque me lo dijo, que no te quería ni tanto así.

ZAPATERA

Pues a mí me consta que sus cuatro señoras, mal rayo las parta, le aborrecían a muerte.

ALCALDE *(Dando en el suelo con la vara)*

¡Ya estamos!

ZAPATERA *(Tirando un vaso)*

¡Ya estamos!

(Pausa.)

ALCALDE *(Entre dientes)*

Si yo te cogiera por mi cuenta, ¡vaya si te domaba!

ZAPATERA *(Guasona)*

¿Qué está usted diciendo?

ALCALDE

Nada. Pensaba... que si fueras como debías ser te hubieras enterado que tengo voluntad y valentía para hacer escritura, delante de notario, de una casa muy hermosa.

ZAPATERA

¿Y qué?

ALCALDE

Con un estrado que costó cinco mil reales, con centros de mesa, con cortinas de brocatel, con espejos de cuerpo entero.

ZAPATERA

¿Y qué más?

ALCALDE *(Tenoriesco)*

Que la casa tiene una cama con coronación de pájaros y azucenas de cobre, un jardín con seis palmeras y una fuente saltadora, pero aguarda para estar alegre que una persona que sé yo se quiera aposentar en sus salas donde estaría... *(Dirigiéndose a la* ZAPATERA*)* mira... ¡estarías como una reina!

ZAPATERA *(Guasona)*

Yo no estoy acostumbrada a esos lujos. Siéntese usted en el estrado, métase usted en la cama, mírese usted en los espejos y póngase con la boca abierta debajo de las palmeras esperando que le caigan los dátiles, que yo de zapatera no me muevo.

ALCALDE

Ni yo de alcalde. Pero que te vayas enterando que no por mucho *despreciar amanece más temprano. (Con retintín.)*

ZAPATERA

Juramento le tengo hecho a San José, a San Cayetano, a Santa Rita y a toda la corte celestial de estarme en mi sitio.

ALCALDE

Pero ¿tú crees que puedes vivir toda la vida en la soltería?

ZAPATERA

Y que no me gusta usted ni me gusta nadie del pueblo. ¡Que está usted muy viejo!

ALCALDE *(Indignado)*

Acabaré metiéndote en la cárcel.

ZAPATERA

¡Atrévase usted!

> *(Fuera se oye un toque de trompeta floreado y comiquísimo.)*

ALCALDE

¿Qué será eso?

ZAPATERA *(Alegre y ojiabierta)*

¡Títeres! *(Se golpea las rodillas.)*

(Por la ventana cruzan dos mujeres.)

VECINA ROJA

¡Títeres!

VECINA MORADA

¡Títeres!

NIÑO *(En la ventana)*

¿Traerán monos? ¡Vamos!

ZAPATERA *(Al* ALCALDE)

¡Yo voy a cerrar la puerta!

NIÑO

¡Vienen a tu casa!

ZAPATERA

¿Sí? *(Se acerca a la puerta.)*

NIÑO

¡Míralos!

ESCENA 4.ª

(Por la puerta aparece el ZAPATERO *disfrazado. Trae una trompeta y un cartelón enro-
llado en la espalda. Lo rodean la gente. La* ZA-
PATERA *queda en actitud expectante y el* NIÑO
salta por la ventana y se coge a sus faldones.)

ZAPATERO

Buenas tardes.

ZAPATERA

Buenas tardes tenga usted, señor titiritero.

ZAPATERO

¿Aquí se puede descansar?

ZAPATERA

Y beber si usted gusta.

ALCALDE

Pase usted, buen hombre, y tome lo que quiera, que yo
pago. *(A los vecinos.)* Y vosotros, ¿qué hacéis ahí?

VECINA ROJA

Como estamos en lo ancho de la calle no creo que le es-
torbemos.

(El ZAPATERO, *mirándolo todo con disimulo,
deja el rollo sobre la mesa.)*

ZAPATERO

Déjelos, señor alcalde... supongo que es usted, que con ellos me gano la vida.

NIÑO

¿Dónde he oído yo hablar a este hombre?

(En toda la escena el NIÑO *mirará con gran extrañeza al* ZAPATERO.)

¡Empieza ya los títeres!

(Los vecinos ríen.)

ZAPATERO

En cuanto tome un vaso de vino.

ZAPATERA *(Alegre)*

¿Pero los va usted a hacer en mi casa?

ZAPATERO

Si tú lo permites.

VECINA ROJA

Entonces, ¿podemos pasar?

ZAPATERA *(Seria)*

Podéis pasar. *(Da un vaso al* ZAPATERO.)

VECINA ROJA *(Sentándose)*

Disfrutaremos un poquito.

(El ALCALDE *se sienta.)*

ALCALDE

¿Viene usted de muy lejos?

ZAPATERO

De muy lejísimos.

ALCALDE

¿De Sevilla?

ZAPATERO

Échele usted leguas.

ALCALDE

¿De Francia?

ZAPATERO

Échele usted leguas.

ALCALDE

¿De Inglaterra?

ZAPATERO

¡De las islas Filipinas!

(Los Vecinos *hacen rumores de admiración,
la* Zapatera *está extasiada.)*

Alcalde

¿Habrá visto a los insurrectos?

Zapatero

Lo mismo que les estoy viendo a ustedes ahora.

Niño

¿Y cómo son?

Zapatero

Intratables. Figúrense ustedes que casi todos ellos son
zapateros.

(Los vecinos miran a la Zapatera.*)*

Zapatera *(Quemada)*

¿Y no los hay de otros oficios?

Zapatero

Absolutamente. En las islas Filipinas, ¡zapateros!

Zapatera

Pues puede que en las islas Filipinas esos zapateros sean
tontos, que aquí en estas tierras los hay listos y muy listos.

Vecina Roja *(Adulona)*

¡Muy bien hablado!

ZAPATERA *(Brusca)*

Nadie le ha preguntado su parecer.

VECINA ROJA

¡Hija mía!

ZAPATERO *(Enérgico, interrumpiendo)*

¡Qué rico vino! *(Más fuerte.)* ¡Qué requeterrico vino!

(Silencio.)

Vino de uvas negras como el alma de algunas mujeres que yo conozco.

ZAPATERA

¡De las que la tengan!

ALCALDE

Chisss. ¿Y en qué consiste el trabajo de usted?

ZAPATERO *(Apura el vaso, chasca la lengua y mira a la* ZAPATERA*)*

¡Ah! Es un trabajo de poca apariencia y de mucha ciencia. Enseño la vida por dentro. Aleluyas con los hechos del zapatero mansurrón y la Fierabrás de Alejandría, vida de don Diego Corrientes, aventuras del guapo Francisco Esteban, y sobre todo arte de colocar el bocado a las mujeres parlanchinas y respondonas.

ZAPATERA

¡Todas esas cosas las sabía mi pobrecito esposo!

ZAPATERO

¡Dios lo haya perdonado!

ZAPATERA

¡Oiga usted!...

(Las VECINAS *se ríen.)*

NIÑO

¡Cállate!

ALCALDE *(Autoritario)*

¡A callar! Enseñanzas son ésas que convienen a todas las criaturas. Cuando usted guste.

ZAPATERO

(Aparte: ¿Qué pasa aquí?) Puesto que así lo desea el respetable y queridísimo público daré comienzo en seguida, sin haberme quitado el polvo de los caminos.

ZAPATERA

¡Da gusto oírle hablar!

> *(El* ZAPATERO *desenrolla el cartelón en el que hay pintada una historia de ciego dividida en pequeños cuadros, pintados con almazarrón y colores violentos. Los vecinos inician un movimiento de aproximación y la* ZAPATERA *se sienta al* NIÑO *sobre sus rodillas.)*

ZAPATERO

¡Atención!

NIÑO

¡Ay qué precioso! *(Abraza a la* ZAPATERA. *Murmullos.)*

ZAPATERA

Que te fijes bien, por si acaso no me entero del todo.

NIÑO

Más difícil que la Historia Sagrada no será.

ZAPATERO

Respetable público: Oigan ustedes el romance verdadero y sustancioso de la mujer rabicunda y el hombrecito de la paciencia, para que sirva de escarmiento y ejemplaridad a todas las gentes de este mundo. *(En tono lúgubre.)* Aguzad vuestros oídos y entendimiento.

> *(Los vecinos alargan la cabeza y algunas mujeres se agarran de las manos.)*

NIÑO *(A la Zapatera)*

¿No te parece el titiritero hablando a tu marido?

ZAPATERA

Él tenía la voz más dulce.

ZAPATERO

¿Estamos?

ZAPATERA

Me sube así un repeluzno.

NIÑO

¡Y a mí también!

ZAPATERO *(Señalando con la varilla)*

En un cortijo de Córdoba
entre jarales y adelfas
vivía un talabartero
con una talabartera.

(Expectación.)

Ella era mujer arisca,
él, hombre de gran paciencia.
Ella giraba en los veinte
y él pasaba de cincuenta.
¡Santo Dios, cómo reñían!
Miren ustedes la fiera:
burlando al débil marido
con los ojos y la lengua.

*(Está pintada en el cartel una mujer que mira
de manera infantil y cansina.)*

ZAPATERA

¡Qué mala mujer!

(Murmullos.)

ZAPATERO

Cabellos de emperadora
tiene la talabartera,
y una carne como el agua
cristalina de Lucena.
Cuando movía las faldas
en tiempos de primavera
olía toda su ropa
a limón y a yerbabuena.
Ay qué limón limón
de la limonera.
¡Qué apetitosa
talabartera!

(Los vecinos ríen.)

Ved cómo la cortejaban
mocitos de gran presencia
en caballos relucientes
llenos de borlas de seda.
Gente cabal y garbosa
que pasaba por la puerta
haciendo brillar adrede
las onzas de sus cadenas.
La conversación a todos
daba la talabartera,
y ellos caracoleaban
sus jacas sobre las piedras.
Miradla hablando con uno
bien peinada y bien compuesta
mientras el pobre marido
clava en el cuero la lezna.

(Muy dramático y cruzando las manos.)

Esposo viejo y decente
casado con joven tierna,
¿qué tunante caballista
roba tu amor en la puerta?

(La ZAPATERA, *que ha estado dando suspiros,
rompe a llorar.)*

ZAPATERO *(Volviéndose)*

¿Qué os pasa?

ALCALDE

¡Pero niña! *(Da con la vara.)*

VECINA ROJA

¡Siempre llora quien tiene por qué... callar!

VECINA MORADA

¡Siga usted!

(Los vecinos murmuran y sisean.)

ZAPATERA

Es que me da mucha lástima y no puedo contenerme. ¿Lo ve usted?, no puedo contenerme.

(Llora, queriéndose contener, hipando de manera comiquísima.)

ALCALDE

¡Chitón!

NIÑO

¿Lo ves?

ZAPATERO

¡Hagan el favor de no interrumpirme! ¡Cómo se conoce que no tienen que decirlo de memoria!

NIÑO

¡Es verdad! *(Suspirando.)*

ZAPATERO *(Malhumorado)*

Un lunes por la mañana
a eso de las once y media
cuando el sol deja sin sombras
los juncos y madreselvas,
cuando alegremente bailan
brisa y tomillo en la sierra
y van cayendo las verdes
hojas de las madroñeras,
regaba sus alhelíes
la arisca talabartera.
Llegó su amigo trotando
una jaca cordobesa
y le dijo entre suspiros:
«Niña, si tú lo quisieras
cenaríamos mañana
los dos solos, en tu mesa».

«¿Y qué harás de mi marido?».
«Tu marido no se entera».
«¿Qué piensas hacer?». «Matarlo».
«Es ágil, quizá no puedas.
¿Tienes revólver?». «¡Mejor!
¡Tengo navaja barbera!».
«¿Corta mucho?». «Más que el frío.

(La ZAPATERA se tapa los ojos y aprieta al NIÑO; todos los vecinos tienen una expectación máxima que se notará en sus expresiones.)

Y no tiene ni una mella».
«¿No has mentido?». «Le daré
diez puñaladas certeras
en esta disposición
que me parece estupenda.
Cuatro en la región lumbar,
una en la tetilla izquierda,
otra en semejante sitio
y dos en cada cadera».
«¿Lo matarás en seguida?».
«Esta noche, cuando vuelva
con el cuero y con las crines
por la curva de la acequia».

(En este momento, en el último verso y con toda rapidez, se oye fuera del escenario un grito angustioso y fortísimo; los vecinos se levantan. Otro grito más cerca. Al ZAPATERO se le cae de las manos el cartelón y la varilla. Tiemblan todos cómicamente.)

VECINA NEGRA *(En la ventana)*

¡Ya han sacado las navajas!

ZAPATERA

¡Ay, Dios mío!

VECINA ROJA

¡Virgen Santísima!

ZAPATERO

¡Qué escándalo!

VECINA NEGRA

¡Se están matando! Se están cosiendo a puñaladas por culpa de esa mujer. *(Señala a la* ZAPATERA.)

ALCALDE *(Nervioso)*

¡Vamos a ver!

NIÑO

¡Que me da mucho miedo!

VECINAS

¡Acudir, acudir! *(Van saliendo.)*

UNA VOZ *(Fuera)*

¡Por esa mala mujer!

ZAPATERO

Yo no puedo tolerar esto; no lo puedo tolerar.

> *(Con las manos en la cabeza corre la escena.*
> *Van saliendo rápidamente todos entre ayes y*
> *miradas de odio a la* ZAPATERA. *Ésta cierra*
> *rápidamente la puerta y la ventana.)*

ESCENA 5.ª

ZAPATERA *y* ZAPATERO

ZAPATERA *(Furiosa)*

¿Y el niño? ¿Dónde está el niño?

ZAPATERO *(Está temblando y emocionado)*

Se fue con las vecinas.

ZAPATERA

¿Ha visto usted qué infamia! Yo le juro por la preciosísima sangre de Nuestro Padre Jesús que soy inocente. ¡Ay! ¿Qué habrá pasado?... Mire, mire usted cómo tiemblo. *(Le enseña las manos.)* Parece que las manos se me quieren escapar ellas solas.

ZAPATERO

Ya verá como no ocurre nada.

ZAPATERA

Sí... pero yo tengo mucho disgusto.

ZAPATERO

Calma, muchacha. ¿Es que su marido está en la calle?

ZAPATERA *(Rompiendo a llorar)*

¿Mi marido? ¡Ay, señor mío!

ZAPATERO

¿Qué le pasa?

ZAPATERA

Mi marido me dejó por culpa de las gentes y ahora me encuentro sola sin calor de nadie.

ZAPATERO

¡Pobrecilla!

ZAPATERA

¡Con lo que yo lo quería! ¡Lo adoraba!

ZAPATERO

¿Cómo? *(En un arranque.)* ¡Eso no es verdad!

ZAPATERA *(Dejando rápidamente de llorar)*

¿Qué está usted diciendo?

ZAPATERO

Digo que es una cosa tan... incomprensible que... parece que no es verdad. *(Turbado.)*

ZAPATERA *(Extrañada)*

Tiene usted mucha razón, pero yo desde entonces no como, ni duermo, ni vivo, porque él era mi alegría, mi defensa.

ZAPATERO

¿Y queriéndolo tanto como lo quería, la abandonó? Por lo que veo su marido de usted era hombre de pocas luces.

ZAPATERA

Haga el favor de guardar la lengua en el bolsillo. Nadie le ha dado permiso para que dé su opinión.

ZAPATERO

¡Usted perdone! No he querido...

ZAPATERA

¡Digo!... ¡Cuando era más listo!...

ZAPATERO *(Con guasa)*

¿Sííí?

ZAPATERA

¡Sí! ¿Ve usted todos esos romances y chupaletrinas que canta y cuenta por los pueblos? *(Aparte:* Ay, ¿qué habrá pasado?)... Pues todo eso es un ochavo comparado con lo que él sabía... Él sabía... ¡el triple!

ZAPATERO *(Serio)*

No puede ser.

ZAPATERA *(Enérgica)*

Y el cuádruple... Me los decía todos a mí cuando nos acostábamos. Historietas antiguas que usted no habrá oído mentar siquiera... *(Gachona.)* ¡Y a mí me daba un susto!... Pero él me decía «¡Preciosa de mi alma! ¡Si esto ocurre de mentirijillas!».

ZAPATERO *(Indignado)*

¡Mentira!

ZAPATERA *(Extrañadísima)*

¿Eh? ¿Se le ha vuelto el juicio?

ZAPATERO

¡Mentira!

ZAPATERA *(Indignada)*

¿Pero qué es lo que está usted diciendo, titiritero del demonio?

ZAPATERO *(Fuerte y de pie)*

Que tenía mucha razón su marido de usted. Esas historias son pura mentira, ¡fantasía nada más! *(Agrio.)*

ZAPATERA *(Agria)*

Naturalmente, señor mío. Parece que me toma por tonta de capirote... Pero no me negará usted que dichas historietas impresionan.

ZAPATERO

¡Ah, eso ya es harina de otro costal! Impresionan a las almas impresionables.

ZAPATERA

Todo el mundo tiene sentimientos.

ZAPATERO

Según se mire. He conocido mucha gente sin sentimientos. Y en mi pueblo vivía una mujer... en cierta época, que tenía el suficiente mal corazón para hablar con sus amigos por la ventana mientras el marido hacía botas y zapatos de la mañana a la noche.

ZAPATERA *(Levantándose y cogiendo una silla)*

¿Eso lo dice por mí?

ZAPATERO

¿Cómo?

ZAPATERA

Que si va con segunda. ¡Dígalo!, ¡sea valiente!

ZAPATERO *(Humilde)*

Señorita, ¿qué está usted diciendo? ¿Qué sé yo quién es usted? Yo no la he ofendido en nada, ¿por qué me falta de esa manera? ¡Pero es mi sino! *(Casi lloroso.)*

ZAPATERA *(Enérgica, pero conmovida)*

Mire usted, buen hombre. Yo he hablado así porque estoy sobre ascuas; todo el mundo me asedia, todo el mundo me critica, ¿cómo quiere que no esté acechando la ocasión más pequeña para defenderme? Si estoy sola, si soy joven y vivo ya sólo de mis recuerdos... *(Llora.)* ¿Qué quiere, señor mío, qué quiere?

ZAPATERO *(Lloroso)*

Ya comprendo, preciosa joven. Lo comprendo mucho más de lo que pueda imaginarse, porque... Ha de saber usted, con toda clase de reservas, que su situación es... ¡sí, no cabe duda!, idéntica a la mía.

ZAPATERA *(Intrigada)*

¿Es posible?

ZAPATERO *(Se deja caer sobre la mesa)*

¡A mí... me abandonó mi esposa!

ZAPATERA

¡No pagaba con la muerte!

ZAPATERO

Ella soñaba con un mundo que no era el mío, era fantasiosa y dominanta, gustaba demasiado de la conversación y las golosinas que yo no podía costearle, y un día tormentoso, de viento huracanado, me abandonó para siempre.

ZAPATERA

¿Y qué hace usted ahora corriendo mundo?

ZAPATERO

Voy en su busca para perdonarla y vivir con ella lo poco que me queda de vida. A mi edad ya se está malamente por esas posadas de Dios.

ZAPATERA

¡Quién pudiera hacer lo mismo!

ZAPATERO

La casa de uno, sea como sea, es la gloria *in excelsis Deo.*

ZAPATERA

¡Ay! Me es usted simpático, simpático y requetesimpático como ningún hombre me ha sido en el mundo, porque se encuentra en mi misma situación.

ZAPATERO

Verdaderamente... ¡Es un caso raro!

ZAPATERA

Y siento un gran bienestar porque sé que usted es capaz de comprenderme perfectamente. ¿Verdad que sí?

ZAPATERO *(Levantándose)*

¡Sí! Y estoy convencido además de que Dios ha guiado mis pasos hacia este pueblo para consolarla en lo que pueda y consolarme yo al mismo tiempo.

ZAPATERA *(Rápida)*

Tome un poquito de café caliente, que después de toda esta tracamandana le servirá de salud.

> *(Va al mostrador a echar el café y vuelve la espalda al* ZAPATERO.*)*

ZAPATERO *(Persignándose exageradamente y abriendo los ojos)*

¡Dios te lo premie, clavellinita encarnada!

> *(La* ZAPATERA *le ofrece la taza. Se queda con el plato en las manos y él bebe a sorbos.)*

ZAPATERA

¿Está bueno?

ZAPATERO *(Meloso)*

¡Como hecho por sus manos!

ZAPATERA *(Sonriente)*

¡Muchas gracias!

ZAPATERO *(Por el café)*

Huele, como debe de oler esa hermosísima mata de pelo, a jacintos, a agua de colonia. *(Entre cómico y serio.)*

ZAPATERA *(Blanda)*

¡Dios se lo pague!

ZAPATERO

No cambio yo este instante por toda una eternidad comiendo bizcotelas y tocino del cielo.

ZAPATERA *(Tonta gachona)*

¡Vaya si lo cambiaría!

ZAPATERO *(Vehemente)*

¡De ninguna manera! ¿Qué más puede apetecer un hombre de cierta edad que encontrarse delante de una mujer tan hermosa como usted, después de haber aprendido que en todas partes del mundo se está mal menos en la casa que uno se forma, aunque se esté en ella pésimamente?

ZAPATERA

¡Qué verdad tan grande!

ZAPATERO *(En el último trago)*

¡Ay qué envidia me da su marido!

ZAPATERA

¿Por qué?

ZAPATERO *(Galante)*

¡Porque se pudo casar con la mujer más preciosa de la tierra!

ZAPATERA *(Derretida)*

¡Qué cosas tiene!

ZAPATERO

Y ahora casi me alegro de tenerme que marchar, porque usted sola, yo solo, usted tan guapa y yo con mi lengua en su sitio, me parece que se me escaparía cierta insinuación...

ZAPATERA *(Un poco despierta)*

¿Qué quiere decir?

ZAPATERO *(Bajo)*

Quiero decir... que... como somos lo que se dice dos viudos... podíamos consolarnos de muchas maneras, hasta... ¡sí! ¡queriéndonos!

ZAPATERA *(Reaccionando)*

¡Por Dios!, ¡quite de ahí, qué se figura! Yo guardo mi corazón entero para el que está por esos mundos, para quien debo, ¡para mi marido!

ZAPATERO *(Contentísimo y tirando el sombrero al suelo)*

¡Eso está pero que muy bien! Así son las mujeres verdaderas, ¡así!

ZAPATERA *(Un poco guasona y sorprendida)*

Me parece a mí que usted está un poco... *(Se lleva el dedo a la sien.)*

ZAPATERO

¡Lo que usted quiera! Y si la he molestado lo más mínimo le ruego me perdone, pues los hombres solos no nos podemos contener.

ZAPATERA

¡Ya lo veo!

ZAPATERO

Lo que usted quiera. *(Apasionado y vehemente.)* Pero sepa y entienda que yo no estoy enamorado de nadie más que de mi mujer, mi esposa de legítimo matrimonio, ¡mi niña loca! *(Conmovido.)* Cuando se marchó de mi lado, reconozco que no la quería mucho, pero ahora cada minuto que pasa la quiero más y más.

ZAPATERA

Y yo de mi marido y de nadie más que de mi marido. Cuántas veces lo he dicho para que lo oyeran hasta los sordos. *(Con las manos cruzadas.)* ¡Ay, zapaterillo de mi alma!

ZAPATERO *(Aparte)*

¡Ay, qué zapaterilla de mi corazón!

(Golpes en la puerta.)

ESCENA 6.ª

ZAPATERA, ZAPATERO y NIÑO

ZAPATERA

¡Jesús! Está una en un continuo sobresalto.

ZAPATERO

¿Quiere usted que abra la puerta?

ZAPATERA

Bien mirado, no sé qué hacer.

(Más golpes.)

ZAPATERO

Usted dirá... Pero en todo caso, ¡yo estoy aquí!

ZAPATERA

¡Dios se lo pague!

ZAPATERO *(Autoritario)*

¡Abra!

ZAPATERA

¿Quién es?

NIÑO

¡Abre!

ZAPATERA

¿Pero es posible? ¿Cómo has venido?

NIÑO

¡Ay! Vengo corriendo para decírtelo.

ZAPATERA

¿Qué ha pasado?

NIÑO

Se han hecho heridas con las navajas dos o tres mozos y te echan a ti la culpa. Heridas que echan mucha sangre. Todas las mujeres han ido a ver al juez para que te vayas del pueblo. ¡Ay! Y los hombres querían que el sacristán tocara las campanas para cantar tus coplas...

(El NIÑO *está jadeante y sudoroso.)*

ZAPATERA *(Al* ZAPATERO)

¿Lo está usted viendo?

NIÑO

Toda la plaza está llena de corrillos, parece la feria... ¡y todos contra ti!

ZAPATERO

Canallas. Intenciones me dan de salir a defenderla.

ZAPATERA

¿Para qué? Lo meterían en la cárcel. Yo soy la que va a tener que hacer algo gordo.

NIÑO

Desde la ventana de tu cuarto puedes ver el jaleo de la plaza.

ZAPATERA *(Rápida)*

Vamos, quiero cerciorarme de la maldad de las gentes. *(Mutis rapidísimo.)*

ESCENA 7.ª

ZAPATERO

ZAPATERO

Sí, sí, canallas... Pero pronto ajustaré cuentas con todos y me las pagarán... ¡Ay, casilla mía, qué calor más agradable sale por tus puertas y ventanas! Y ay, qué terribles paradores, qué malas comidas, qué sábanas de lienzo moreno por esos caminos del mundo! ¡Y qué disparate no sospechar que mi mujer era de oro puro, del mejor oro de la tierra! Casi me dan ganas de llorar...

ESCENA 8.ª

ZAPATERO y VECINOS

VECINA ROJA *(Entrando rápida)*

Buen hombre.

VECINA AMARILLA *(Rápida)*

Buen hombre.

VECINA ROJA

Salga en seguida de esta casa. Usted es persona decente y no debe estar aquí.

VECINA AMARILLA

Ésta es la casa de una leona, de una hiena.

VECINA ROJA

De una mal nacida, desengaño de los hombres.

VECINA AMARILLA

Pero o se va del pueblo o la echamos. Nos trae locas.

VECINA ROJA

Muerta la quisiera ver.

VECINA AMARILLA

Amortajada con su ramo en el pecho.

ZAPATERO *(Angustiado)*

¡Basta!

VECINA ROJA

Ha corrido la sangre.

VECINA AMARILLA

No quedan pañuelos blancos.

VECINA ROJA

Dos hombres como dos soles.

VECINA AMARILLA

Con las navajas clavadas.

ZAPATERO *(Fuerte)*

¡Basta ya!

Vecina Roja

Por culpa de ella.

Vecina Amarilla

Ella, ella y ella.

Vecina Roja

¡Miramos por usted!

Vecina Amarilla

¡Le avisamos con tiempo!

Zapatero

Grandísimas embusteras, mentirosas, malnacidas. Os voy a arrastrar del pelo.

Vecina Roja *(A la otra)*

¡También lo ha conquistado!

Vecina Amarilla

¡A fuerza de besos habrá sido!

Zapatero

¡Así os lleve el demonio! ¡Basiliscos! ¡Perjuras!

Vecina Negra *(En la ventana)*

¡Comadre, corra usted!

(Sale corriendo. Las dos Vecinas *salen corriendo.)*

Vecina Roja

Otro en el garlito.

Vecina Amarilla

¡Otro!

Zapatero

Sayonas, judías. Os pondré navajillas barberas en los zapatos. Me vais a soñar.

ESCENA 9.ª

Zapatero, Zapatera y Niño

Niño *(Entrando rápido)*

Ahora entraba un grupo de hombres en casa del alcalde.
Voy a ver lo que dicen.

> *(Sale corriendo. Al mismo tiempo pasa por el
> fondo también una figura de amarillo.)*

Zapatera *(Valiente)*

Pues aquí estoy si se atreve a venir. Y con serenidad de
familia de caballistas, que he cruzado muchas veces la sierra
sin jamugas, a pelo sobre los caballos.

Zapatero

La compadezco de todo corazón.

ZAPATERA

Perdéis el tiempo, porque yo espero ganar la batalla.

ZAPATERO

¿Y no flaqueará algún día su fortaleza?

ZAPATERA

Nunca se rinde la que, como yo, está sostenida por el amor y la honradez. Soy capaz de seguir así hasta que se me vuelva cana toda mi mata de pelo.

ZAPATERO *(Conmovido y avanzando hacia ella)*

¡Ay!...

ZAPATERA

¿Qué le pasa?

ZAPATERO

Me emociono... con vuestra soledad.

ZAPATERA

¡Mire usted!: tengo a todo el pueblo encima, quieren venir a matarme, y sin embargo no tengo ningún miedo. La navaja se contesta con la navaja y el palo con el palo, pero cuando de noche cierro esa puerta y me voy sola a mi cama... me da una pena, ¡qué pena!, ¡y paso unas sofocaciones!... Que cruje la cómoda, ¡un susto! Que suenan con el aguacero los cristales de ventanillo, ¡otro susto! Que yo sola meneo sin querer las perinolas de la cama, ¡susto doble! Y todo eso no es más que el miedo a la soledad donde están los fantasmas, que yo no he visto porque no los he querido ver, pero que vieron mi madre y mi abuela y todas las mujeres de mi familia que han tenido ojos en la cara.

ZAPATERO

¿Y por qué no cambia de vida?

ZAPATERA

¿Pero usted está en su juicio? ¿Qué voy a hacer? ¿Dónde voy así? Aquí estoy y Dios dirá.

ZAPATERO *(Decidido)*

¡Mira!...

ZAPATERA

¿Qué?

ZAPATERO

Mire usted, señora, y ¿por qué?...

ZAPATERA *(Rápida)*

No me dé consejos, que estoy de ellos hasta la coronilla, y además sé lo que tengo que hacer perfectamente.

ZAPATERO

Sí... Estoy conmovido... ya ve usted... Casi con lágrimas en los ojos, ¡lo que no me había pasado nunca! ¡Y es sin querer!

ZAPATERA

Tampoco quiero dar lástima a las personas.

ZAPATERO *(Inquieto)*

¿Qué hora será?

ZAPATERA

Las seis de la tarde.

> *(Fuera y muy lejanos se oyen murmullos y aplausos.)*

ZAPATERO

Yo lo siento mucho, pero tengo que emprender mi camino antes que la noche se me eche encima.

ZAPATERA

Todavía tiene tiempo.

ZAPATERO *(Haciendo como que se despide)*

Pero me voy. Ya no la molesto más.

ZAPATERA

¿Tan pronto?

ZAPATERO

Es mi sino. De pueblo en pueblo, aquí caigo y allí levanto, por esos barrizales de Dios en el invierno, por esos polvillares de Dios en los terribles calores.

ZAPATERA

¡Mire usted que la vida!

ZAPATERO

Para eso hemos nacido.

ZAPATERA

Pues yo no me conformo.

ZAPATERO

¿Qué remedio queda?

ZAPATERA

Quedan las uñas para arañar al primero que se presente.

ZAPATERO *(Serio y enérgico)*

Las uñas, sépalo de una vez, no dan resultado. ¿Cuánto debo?

(Coge el cartelón.)

ZAPATERA

Nada.

ZAPATERO

No transijo.

ZAPATERA

Lo comido por lo servido.

ZAPATERO

Muchas gracias. *(Triste, se carga el cartelón.)* Entonces... adiós... para toda la vida, porque a mi edad...

ZAPATERA *(Reaccionando)*

Yo no quiero despedirme así. Yo soy mucho más alegre. *(En voz clara.)* Buen hombre, Dios quiera que encuentre usted a su mujer, para que vuelva a vivir con el cuido y la decencia a que está acostumbrado. *(Está conmovida.)*

ZAPATERO

Igualmente le digo de su esposo. Pero usted ya sabe que el mundo es reducido. ¿Qué quiere que le diga si por casualidad me lo encuentro en mis caminatas?

ZAPATERA

Dígale usted que lo adoro.

ZAPATERO *(Acercándose)*

¿Y qué más?

ZAPATERA *(Apasionada)*

Que día y noche lo tengo metido en lo más hondo de mi pensamiento.

ZAPATERO *(Entusiasmado y más cerca)*

¿Y qué más? ¿Qué? ¿Qué?

ZAPATERA

Que a pesar de sus cincuenta y tantos años, ¡benditísimos cincuenta años!, me resulta más juncal y torerillo que todos los hombres del mundo.

ZAPATERO

¡Niña! ¡Qué primor! ¡Le quiere usted tanto como yo a mi mujer!

ZAPATERA

¡Muchísimo más!

ZAPATERO

No es posible. Yo soy como un perrillo y mi mujer manda en el castillo, ¡pero que mande! ¡Tiene más sentimiento que yo!

(Está cerca de ella y como adorándola.)

ZAPATERA

Y no se olvide decirle que lo espero, que el invierno tiene las noches largas.

ZAPATERO

Entonces, ¿lo recibiría usted bien?

ZAPATERA

Como si fuera el rey y la reina juntos.

ZAPATERO *(Temblando)*

¿Y si por casualidad llegara ahora mismo?

ZAPATERA

¡Me volvería loca de alegría!

ZAPATERO

¿Le perdonaría su locura?

ZAPATERA

¡Cuánto tiempo hace que se la perdoné!

ZAPATERO

¿Quiere usted que llegue ahora mismo?

ZAPATERA

¡Ay si viniera!

ZAPATERO *(Gritando)*

¡Pues aquí está!

ZAPATERA

¿Qué está usted diciendo?

ZAPATERO *(Quitándose las gafas y el disfraz)*

¡Que ya no puedo más! ¡Zapatera de mi corazón!

> *(La* ZAPATERA *retrocede espantada y queda suspensa con un hipo largo y cómico en la garganta.)*

¿Qué te pasa, prenda mía? ¡Te lo he dicho sin prepararte y es demasiado!

ZAPATERA *(Gritando al fin)*

¡Ay Dios mío!

(Está como loca con los brazos separados del cuerpo.)

ZAPATERO

Perdóname, en el pecado llevo la penitencia. He sufrido mucho. Aunque hubieras sido mala, tenía necesariamente que volver.

(Abraza a la ZAPATERA *y ésta lo mira fijamente en medio de su crisis. Fuera se oye claramente un runrún de coplas.)*

ZAPATERA *(Reaccionando)*

¿Lo oyes? Pillo, granuja, tunante, canalla. ¡Por tu culpa! *(Tira las sillas.)*

ZAPATERO *(Emocionado, dirigiéndose al banquillo)*

¡Mujer de mi corazón!

ZAPATERA

¡Corremundos! ¡Ay cómo me alegro que hayas vuelto! ¡Qué vida te voy a dar! ¡Ni la inquisición! ¡Ni los templarios de Roma!

ZAPATERO

¡Casa de mi felicidad!

*(En el banquillo. Las coplas se oyen cerquí-
sima. Los vecinos aparecen en las ventanas.)*

ZAPATERA

¡Qué desgraciada soy! ¡Con este hombre que Dios me ha
dado! *(Yendo a la puerta.)* Callarse, largos de lengua, ¡judíos
colorados! Y ¡venid!, venid ahora si queréis. Ya somos dos a
defender mi casa, ¡dos! ¡dos! Yo y mi marido. *(Dirigiéndose al marido.)* Con este ¡pillo! Con este ¡granuja!

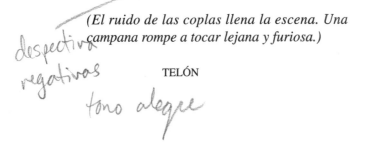

*(El ruido de las coplas llena la escena. Una
campana rompe a tocar lejana y furiosa.)*

despectiva
negativas

TELÓN

tono alegre

FIN DE FIESTA

I

LOS PELEGRINITOS

[Para esta canción Manuel Fontanals ha creado una imagen de Palacio Vaticano consistente en una serie de arcadas en perspectiva, con algo de lo que imaginaría un hombre de campo. Lo mismo ha concebido Fontanals para los trajes, en los que sin precisar lugar ni fecha se fija una imagen de pequeña porcelana (Augusto A. Guiborg)].

TODOS *(Primera melodía)*

Hacia Roma caminan
dos pelegrinos,
a que los case el Papa
porque son primos.

MUCHACHA 1.ª

Sombrerito de hule
lleva el mozuelo.

MUCHACHA 2.ª

Y la pelegrinita
de terciopelo.

MUCHACHA 3.ª

Al pasar por el puente
de la Vitoria

MUCHACHA 4.ª

tropezó la madrina,
cayó la novia.

TODOS

Han llegado a Palacio,
suben arriba,
y en la sala del Papa
los desaniman.

PELEGRINITO *(Segunda melodía)*

Me ha preguntado el Papa:
«¿cómo te llamas?».
Yo le he dicho que Pedro...

PELEGRINITA

Yo, Mari Juana.
Me ha preguntado el Papa
la edad que tienes.
Yo le he dicho que quince...

PELEGRINITO

Yo, diecisiete.
Me ha preguntado el Papa
de dónde era.
Yo le he dicho: de Cádiz...

PELEGRINITA

Yo, de Antequera.
Me ha preguntado el Papa
que si he pecado...

PELEGRINITO

Yo le he dicho que un beso
que me había dado.

PELEGRINITA

Soy la pelegrinita,
soy vergonzosa...

PELEGRINITO

Se le ha puesto la cara
como una rosa.

TODOS

Y a la pelegrinita,
que es vergonzosa,
se le ha puesto la cara
como una rosa.

PELEGRINITO *(Primera melodía)*

Y ha respondido el Papa
desde su cuarto:
«¡Quién fuera pelegrino
para otro tanto!».

TODOS

¡Quién fuera pelegrino
para otro tanto!
Las campanas de Roma
ya repicaron
porque los pelegrinos
ya se han casado.

II

CANCIÓN DE OTOÑO EN CASTILLA

[(El foro representa) no las llanuras áridas, sino el pue-
blecillo que las refleja en sus casas amontonadas entre calles estrechas, casas con planos e inclinados techos de teja
roja, patinados ya por el tiempo (Augusto A. Guiborg)].

Si eres hija del sueño,
paloma mía,
a la hora del alba
verte querría.

Morena, dímelo,
si eres casada o no;
si eres casada, niña
de mi corazón.

*

Yo no quiero más premio
ni más corona
que ser dueña absoluta
de tu persona.

*

A los árboles altos
los lleva el viento,
y a los enamorados
el pensamiento.
El pensamiento,
ay, vida mía,
el pensamiento.

Corazón que no quiera
sufrir dolores,
pase la vida entera
libre de amores.
Libre de amores,
ay, vida mía,
libre de amores.

*

Si eres hija del sueño,
paloma mía,
a la hora del alba
verte querría.

Morena, dímelo,
si eres casada o no;
si eres casada, niña
de mi corazón.

III

CANCIÓN DE LOS CUATRO MULEROS

[Cuatro campesinos en un fondo de serranía, todo como en un gran fresco moderno. Pequeñas, coloridas, exquisitas, al pie de ese telón cuatro campesinas de vestidos armonizados en sus tonos, sirviendo de cuadro a otra figura central arrogantísima. Tienen las unas el rostro semioculto por panderetas, la otra una actitud incitante al baile. Y con la canción el baile comienza, con pasos como de marcha, hacia adelante y hacia atrás, en diagonal siempre. Baila solamente la figura eje. Las otras comentan con la canción misma y con el juego de los panderos hasta llegar a un jaleo final en que la danza de la protagonista se aviva (Augusto A. Guiborg)].

De los cuatro muleros
que van al campo,
el de la mula torda,
moreno y alto.

De los cuatro muleros
que van al agua,
el de la mula torda
me roba el alma.

De los cuatro muleros
que van al río,
el de la mula torda
es mi marido.

A qué buscas la lumbre
la calle arriba
si de tu cara sale
la brasa viva.

APÉNDICES

ESBOZO EN PROSA

Era un Zapatero que no tenía nada más que su mujer, y su mujer no lo quería nada porque andaba tonteando con los mozos del pueblo. Y un día el Zapatero descubrió que él tampoco estaba enamorado de su mujer, y se puso muy contento. Y ella era joven, pero él era viejo y decidió marcharse de la casa porque estaba harto de hacer zapatos. Y comunicó el asunto a Mirlo, que estaba enamorado de su mujer, y su mujer se puso triste porque al menos le daba de comer, y vio lo bueno que era. Ya casi estaba dispuesta a pedirle perdón, pero él se había marchado. Y ella se quedó triste y dijo a don Mirlo: «Hazme el amor». Y Mirlo le decía: «Ya voy», pero estaba muy amargado porque no tenía dinero y toda su juventud era pintura. Y ella recordó al viejo simpático, pero fuerte, que tanto la quería, y recordó: «¡Qué bien se portaba! Sería viejo, pero ¡qué bien se portaba!». Y entristeció. Y venían los mozos del pueblo para echarle serenatas, pero ella no les hacía caso, diciendo: «Él sí que valía». Y puso posada para ganar dinero. Y vino un contrabandista barbudo y simpático, y le hizo el amor locamente, y ella no lo quiso. Y entonces le dijo que la quería con el alma, pero que no podría casarse porque estaba casado. Y entonces ella se enamoró de él, pero estaba indecisa, porque se acordaba de su queridísimo Zapatero. Y el contrabandista, que era el Zapatero disfrazado, al oír las cosas que ella decía del Zapatero, le dijo: «Pues yo me iré». Pero ella no le dejó, porque también le gustaba. Y entonces él se arrancó las patillas y le dijo: «Aquí estoy». Y entonces ella, como una furia, empezó a reñirle de la misma manera que antes de irse, y empezó a suspirar por don Mirlo delante de él. Y don Mirlo pasó por la calle, pero, al llamarlo, él salió corriendo. Y pasó Amargo haciéndola señas, pero ella le hizo burla, y dijo a su marido: «Conque tanto tiempo fuera de casa... Ya te arreglaré». Y él se convenció de que ahora era cuando más la quería. Y se puso en el banquillo a trabajar mientras ella, como una furia, arreglaba la casa. Y telón.

ADICIONES DE OTROS APÓGRAFOS

ACTO PRIMERO

ESCENA 5.ª (pág. 76)

En el apógrafo Lola Membrives (ed. Mario Hernández), al final de la escena, se añade:

[ZAPATERO

Mañana *(Sonriendo)* quizás la tengas que buscar tú también. *(Se va al banquillo.)]*

VECINAS 1.ª y 2.ª

Que salga usted, mozo...

VECINAS 3.ª y 4.ª

Que salga usted, mozo...

VECINAS 1.ª y 2.ª

Que salga usted, mozo...

VECINAS 3.ª y 4.ª

Que salga usted, mozo...

TODAS

Porque me han dicho
que la Zapatera
quiere tirarle
dentro del pozo.

VECINAS 3.ª y 4.ª

Señor Zapatero...

VECINAS 1.ª y 2.ª

Señor Zapatero...

VECINAS 3.ª y 4.ª

Señor Zapatero...

VECINAS 1.ª y 2.ª

Salga usted pronto.

TODAS

Que la Zapatera
lleva navaja
de fino acero.

VECINAS 1.ª y 2.ª

Que salga usted, mozo...

VECINAS 3.ª *y* 4.ª

Que salga usted, mozo...

VECINAS 1.ª *y* 2.ª

Que salga usted, mozo...

VECINAS 3.ª *y* 4.ª

Que salga usted, mozo...

TODAS

Deje su casa,
con ole, con ole,
aire de aire,
¡pieles de toro!

[ESCENA 6.ª]

ACTO PRIMERO

ESCENA 7.ª (pág. 83)

En el apógrafo Lola Membrives (ed. cit.) esta escena se cierra así:

[ALCALDE

Un poco brusca..., pero es una mujer guapísima. ¡Qué cintura tan ideal!] ¡Qué lástima de talle! ¡Y hay que ver qué ondas en el pelo!

> *(Mutis. Llegan unas gitanillas cantando. La ZAPATERA canta y baila con ellas.)*

> Si tu madre tiene un rey,
> la baraja tiene cuatro:
> rey de oros, rey de copas,
> rey de espadas, rey de bastos.
> Corre que te pillo,
> corre que te agarro,
> corre que te lleno
> la falda de barro.

Ábreme la puerta,
que me estoy mojando;
no me da la gana,
ponte chorreando.

Del olivo, me retiro;
del esparto, yo me aparto;
del sarmiento, me arrepiento
de haberte querido tanto.
Corre que te pillo,
corre que te agarro,
corre que te lleno
la falda de barro.
Ábreme la puerta,
que me estoy mojando;
no me da la gana,
ponte chorreando.

GITANILLA 1.ª

Zapatera...

GITANILLA 2.ª

Zapatera...

GITANILLA 1.ª

¿Quién te pone colorada?

ZAPATERA

Mis zarcillos de coral
y los pinceles del agua.

GITANILLA 1.ª

Corre que te pillo,
ábreme tu casa...

GITANILLA 2.ª

 Corre que te lleno
de barro las faldas...

GITANILLA 1.ª

Ábreme la puerta...

GITANILLA 2.ª

 No me da la gana;
deja que la lluvia
te lave la cara.

[ESCENA 8.ª]

ACTO PRIMERO

ESCENA 14.ª (págs. 94-95)

El trozo en que se encanta a la mariposa aparece así en el apógrafo Margarita Xirgu (ed. Guillermo de Torre):

[NIÑO

¡Chis!... No pises fuerte.

ZAPATERA

Lograrás que se escape.

NIÑO *(En voz baja y como encantando a la mariposa, canta)]*

> Mariposa del aire,
> qué hermosa eres,
> mariposa del aire
> dorada y verde.
> Luz de candil,
> mariposa del aire,
> ¡quédate ahí, ahí ahí!...

No te quieres parar,
pararte no quieres.
Mariposa del aire
dorada y verde.
Luz de candil,
mariposa del aire,
¡quédate ahí, ahí, ahí!...
¡Quédate ahí!
Mariposa, ¿estás ahí?

[ZAPATERA *(En broma)*]

En el apógrafo Lola Membrives (ed. cit.) la secuencia se resuelve de esta forma:

[NIÑO

Chiss, no pises fuerte. Lograrás que se escape...]
Mariposa, carita
de rosa, débil
mariposa del aire,
dorada y verde,
luz de candil...
Mariposa pequeña,
quédate ahí.

ZAPATERA y NIÑO

Sí, sí, sí, sí, sí, sí, sí,
quédate ahí.

NIÑO

Déjame que te cubra
con mi pañuelo,
déjame que te cubra

con mi pañuelo,
como la nieve grande
baja del cielo.
Luz de candil,
mariposa del viento,
ya estás ahí.

ZAPATERA y NIÑO

Sí, sí, sí, sí, sí, sí, sí,
ya estás ahí.

NIÑO

No te quieres parar,
parar no quieres,
no te quieres parar,
parar no quieres...
Mariposa del aire,
dorada y verde,
luz de candil...

ZAPATERA y NIÑO

Párate, mariposa,
quédate ahí.
No, sí, no, sí, no, sí, no, sí, no, sí...
Sí, sí, sí, sí, sí, sí, sí...

[ZAPATERA

¡Ahora, ahora!]

ACTO PRIMERO

ESCENA 14.ª (pág. 96)

El apógrafo Xirgu y el apógrafo Lola Membrives (eds. cits.) añaden:

[ZAPATERA *(Sentándose, desplomada)*

¡No es posible! ¡Esto no es posible! ¡Yo no lo creo!]

NIÑO

¡Sí que es verdad, no me regañes!

ZAPATERA

(Levantándose hecha una furia y dando fuertes pisotadas en el suelo.)

¿Y me da este pago? ¿Y me da este pago?

(El NIÑO *se refugia detrás de la mesa.)*

NIÑO

¡Que se te caen las horquillas!

ZAPATERA

¿Qué va a ser de mí sola en esta vida? ¡Ay, ay, ay!

(El NIÑO *sale corriendo. La ventana y las puertas están llenas de vecinos.)*

Sí, sí, venid a verme, cascantes, comadricas, por vuestra culpa ha sido...

ALCALDE

Mira, ya te estás callando. Si tu marido te ha dejado ha sido porque no le querías, porque no podía ser.

ZAPATERA

¿Pero lo van a saber ustedes mejor que yo? Sí, lo quería, vaya si lo quería, que pretendientes buenos y muy riquísimos he tenido y no les he dado el sí jamás. ¡Ay, pobrecito mío, qué cosas te habrán contado!

SACRISTANA *(Entrando)*

Mujer, repórtate.

ZAPATERA

No me resigno. No me resigno. ¡Ay, ay!

[(Por la puerta empiezan a entrar vecinas con...)]

ACTO SEGUNDO

ESCENA 5.ª (pág. 136)

El apógrafo Lola Membrives (ed. cit.) inserta:

[ZAPATERO

La casa de uno, sea como sea, es la gloria *in excelsis Deo.]*

(Música.)

ZAPATERA

Las manos de mi cariño
te están bordando una capa
con agremán de alhelíes
y con esclavina de agua.
Los zapatos que tú hacías,
zapatero de mi alma,
son estrellas que relucen
alrededor de mi cama.
La luna es un pozo chico,
las rosas no valen nada;
lo que valen son tus brazos
cuando de noche me abrazan.

ZAPATERO

¡Ay, mi niña zapatera!
¡Ay, espejo de mi casa!
Con los martillos diré
la alegría de tu cara!

ZAPATERA

¿Por dónde estarás andando
con tu cintura entallada?

ZAPATERO

Quiero un rico pan moreno
con sueño de tu almohada.

ZAPATERA

Cuando fuiste novio mío
por la primavera blanca
los cascos de tu caballo
cuatro sollozos de plata.

ZAPATERO

¡Ay, mi niña zapatera!
¡Ay, espejo de mi casa!

ZAPATERA

Los cascos de tu caballo,
cuatro sollozos de plata.

(Cesa la música.)

[¡Ay! Me es usted simpático, simpático y requetesimpático...]

ACTO SEGUNDO

ESCENA 5.ª (pág. 137)

El apógrafo Lola Membrives (ed. cit.) añade:

> *[La* ZAPATERA *le ofrece la taza. Se queda con el plato en las manos y él bebe a sorbos.]*

VECINA 1.ª

¡Comadre!

VECINA 2.ª

¡Comadre!

VECINA 3.ª

Lo que estamos viendo
no lo ha visto nadie.

VECINA 1.ª

Naranja y vino.

VECINA 2.ª

Taza de café.

VECINA 3.ª

Y a la media noche
la sopa de miel.

VECINA 1.ª

Presume de santa.

VECINA 2.ª

Presume de buena.

VECINA 3.ª

Y se frota el cuerpo
con albahaca fresca.

VECINA 1.ª

Comadre, silencio.

VECINA 2.ª

Silencio, comadre.

VECINA 3.ª

Lo que estamos viendo
no lo ha visto nadie.

[ZAPATERA

¿Está bueno?]

PRÓLOGO DE BUENOS AIRES

(Sobre cortina gris aparece el Autor. Sale rápidamente y lleva una carta en la mano.)

Respetable público... *(Pausa.)* No, respetable público no; público solamente; y no es que el autor no considere al público respetable (todo lo contrario), sino que detrás de esta palabra hay como un delicado temblor de miedo y una especie de súplica para que el auditorio sea generoso con la mímica de los actores y el artificio del ingenio. El poeta no pide benevolencia, sino atención, una vez que ha saltado hace mucho tiempo la barra espinosa de miedo que los autores tienen a la sala. Por este miedo absurdo, y por ser el teatro en muchas ocasiones una finanza, la poesía se retira de la escena en busca de otros ambientes donde la gente no se asuste de que un árbol, por ejemplo, se convierta en una rosa de humo, y de que tres panes y tres peces, por amor de una mano y una palabra, se conviertan en tres mil panes y tres mil peces para calmar el hambre de una multitud... Pudo el autor llevar los personajes de esta pantomima detrás de las rocas y el musgo donde vagan las criaturas de la tragedia, pero ha preferido poner el ejemplo dramático en el vivo ritmo de una zapaterita popular. Teatrillo donde la zapatera prodigiosa será para la sala como el ojo quebrado y repetido mil veces en el prisma de aire tranquilo que guarda el corazón de cada espectador. En todos los sitios late y anima la criatura poética que el autor ha vestido de zapatera con aire de refrán o simple romancillo, y no se extrañe el público si aparece violenta o toma actitudes agrias, porque ella lucha siempre, lucha con la realidad que la cerca, y lucha con la fantasía cuando ésta se hace realidad visible. Encajada en el límite de esta farsa vulgar, atada a la anécdota que el autor le ha impuesto, y amiga de gentes que no tienen más misión que expresar el traje que llevan encima, la zapatera va y viene, enjaulada, buscando su paisaje de nubes duras de árboles de agua, y se quiebra las alas contra las paredes.

El poeta pide perdón a las musas por haber transigido en esta prisión de la zapaterilla por intentar divertir a un grupo de gentes, pero les promete en cambio, más adelante, abrir los escotillones de la escena para que vuelvan a salir las copas falsas, el veneno, las bibliotecas, las sombras y la luna fingida del verdadero teatro.

(Se oyen las voces de la ZAPATERA.*)*

Ya voy, no tengas tanta impaciencia en salir; no es un traje de larga cola y plumas inverosímiles el que sacas, sino un traje barato, ¿lo oyes?, un traje de zapatera... Aunque, después de todo, tu traje y tu lucha será el traje y la lucha de cada espectador sentado en su butaca, en su palco, en su entrada general, donde te agitas, grande o pequeña, con el mismo ritmo desilusionado... ¡Silencio! *(Se descorre la cortina y aparece el decorado con tenue luz.)*

También amanece así todos los días sobre los campos y las ciudades, y el público olvida su medio mundo de sueños para entrar en los mercados como tú en tu casa, en la escena, zapaterilla prodigiosa... *(Va creciendo la luz.)* ¡A empezar! Tú llegas de la calle...

(Se oyen las voces que pelean. Al público.) Buenas noches.

*(Se quita el sombrero de copa y éste se ilumina por den-
tro con una luz verde: el Autor lo inclina y sale de él un
chorro de agua. El Autor mira un poco cohibido al público
y se retira de espaldas lleno de ironía.)* Ustedes perdonen...
(Sale.)

DRAGÓN

Telón gris.

(Sale el director de escena vestido de frac.)

[DIRECTOR]

Señoras y señores:

Me atrevo a presentar a ustedes una comedia del amor. Una nueva comedia del amor mágico. Su realidad es absoluta si ustedes la meditan un poco. Yo, como director de escena, estoy cansado del teatro, y quiero que la vida, tal como se presenta en todos sus aspectos, sueño y vigilia, día y noche, irrumpa en la escena para que la marquesa que toma el té, Pepe Luis el galán, y el criado eterno que dice: «Sí, señorita, sí, señorito», puedan entrar en el jardín de sorpresas y gracia a que tienen derecho después de su largo servicio. Están ustedes sentados en sus butacas y vienen a divertirse. Muy bien. Han pagado su dinero, y es justo. Pero el poeta ha abierto los viejos escotillones del teatro sin preocuparse en hacerles a ustedes las clásicas cosquillas o los arrumacos de tontería que se hacen a ese terrible señor mitológico que viene aquí, según dicen, recién comido y con una terrible porra de pateo. Estas tablas han sido, hasta ahora, un suplicio para los autores. Cuando la obra empezaba a ser juzgada, los pobres autores ahí detrás (yo los he visto) tomaban tila y abrazaban tiernamente a las artistas, en medio del mayor desconsuelo. Si ustedes aplaudían se ponían como ebrios y salían aquí, amarillos por las baterías, a dar gracias. Con esas fachas de zapateros remendones que tienen siempre al lado de las figuras ideales de la comedia. Pero es hora de que el autor se desligue un poco de esta presencia de la sala, y se atreva con su musa por sitios donde no esté el grupo de espectadores tirándole de los hilitos para que se estrelle. Sí, ustedes lo saben mejor que yo. Para que se estrelle. Vienen ustedes al teatro como van por la vida, procurando no romper las sutilísimas paredes de la realidad de cada día. Abrazados con vuestras mujeres, con vuestras hijas, con vuestras novias, sin atreveros a sacar la mano al aire prodigioso y libre de la realidad verdadera. Pero yo, como director de escena, no estoy en este caso. *(Hace un gesto raro y se quita el sombrero de copa. Mete la mano y saca tres palomas que echa a volar por los bastidores. Se lo vuelve a poner.)* No. Yo podría decirles a ustedes varias cosas que les producirían disgusto, miedo, sí, miedo, pero prefiero ordenar mi comedia sin meterme en las vidas de los demás. Já já já. Ahora que... no me gusta verlos tan seguros ahí sentados. ¿Seguros de qué? ¿De qué están ustedes seguros? Yo doy una rosa a la muchacha que se acuerde de pronto... por ejemplo... de una cosa muy sencilla... de lo que comió esta mañana. Já já já. ¿Es difícil? ¿Verdad? ¡Qué lejos está el almuerzo! ¡Y los manjares! ¡Qué misteriosos! No nos acordamos. Es muy difícil. Se juntan todas las comidas en una fila larguísima y nos perdemos por ellas con la gracia de que... *(Suena un timbre.)* ¡Ah! Caramba.

(Mira el reloj y busca con la mirada alguien por las butacas.) Sí, sí... ya no está. No está. *(Dirigiéndose a una persona imaginaria de los bastidores.)* ¿Dice usted que iban tres médicos? Tiene bastante. ¿Y el ataúd llegó bien? ¿De buena madera? Se lo merecía. Gracias. *(Vuelve a mirar.)* Sí. *(Pausa.)* Ahora *(Pausa.)* podemos representar la comedia sin temor de accidentes ni interrupciones estúpidas. *(Pausa.)* Perfectamente. *(Pausa.)* Tenga usted cuidado que los pescadores no entren por las butacas. Se pueden esperar en los pasillos. Sin que se acerquen mucho al escenario. Ahora... No quiero decir *Respetable público,* porque el director de escena no respeta al público, ni señoras y señores. No me gusta. Además aquí no sois eso, sino hombres y mujeres o mejor niños y niñas. Yo sé que todos estáis abandonados; que llega la noche y no podéis salir de vuestras cabañas; que aquella cosa que guardáis con más cariño basta un segundo de sueño para que desaparezca definitivamente. ¡Pero en fin! Ya les he entretenido lo bastante. Quería dar tiempo que se vistieran los cómicos y que todos los maquinistas estuvieran en sus puestos como buenos soldados. Así pues, buenas noches. *(Se oyen unos rugidos.)* Já já já. Voy a echar azúcar a ése para que se porte bien durante el espectáculo. *(Crecen los rugidos.)* ¡Qué bárbaro! Já já. ¿Oyen ustedes? ¡Pero qué bárbaro! *(Se quita el sombrero de copa y éste se ilumina por dentro con una luz verde. El director de escena lo vuelca y sale un chorro de agua encendida.)* Ustedes perdonen *(Se va.)*

(Entre los rugidos se descorre la cortina. Entonces suenan unos violines. Aparece una playa.)

COLECCIÓN AUSTRAL

Serie azul: Narrativa
Serie roja: Teatro
Serie naranja: Poesía
Serie verde: Ciencias/Humanidades

ÚLTIMOS TÍTULOS PUBLICADOS